文春文庫

柔らかな頬

上

桐野夏生

文藝春秋

柔らかな頬　上・目次

第一章　終車　9
第二章　水の気配　63
第三章　漂流　131
第四章　洪水　202
第五章　浮標　269

柔らかな頬　上

一九九四年八月

「現代の神隠しか　深まる謎
　　　有香ちゃん失踪事件」

八月十一日朝、千歳市支笏湖町泉郷の石山洋平さん宅から、製版業森脇道弘さん（四十四歳）の長女、保育園児の有香ちゃん（五歳）が、散歩に出たまま帰らないという一一〇番通報があった。一週間たった現在も有香ちゃんは見付かっておらず、手掛かりはない。森脇さんは東京在住で、夏休みを利用して一家で友人の石山さんの別荘に遊びに来ていた。
現場は標高五百メートルの別荘地。傾斜地で五歳の幼児ではそう遠くに行けないと見て、捜索隊は警察犬五頭を投入し、石山さん宅から半径二キロ以内の山林の捜索や、付近の別荘の聞き込みをした。

もっとも気にかかる有香ちゃんの安否だが、もし山中に迷い込んだのなら夏でも十度以下に冷え込む標高でもあり、食べ物もないことから五歳児の体力では絶望的というのが関係者の見方だ。地元では、変質者のいたずら目的や交通事故の証拠隠しで連れ去られた、などの噂がある。

これらに対し、恵庭署では①現場は別荘地の一番奥にあり、外部からの人の出入りがほとんどない②失踪時、下の管理事務所では車を見なかった③近所の別荘でも不審な人物は目撃されていない④付近には交通事故の跡がない、などから『事件事故に巻き込まれたケースは考えにくい』としている。

第一章　終車

1

石山の臑《すね》には子供の時に鉄条網で怪我をした痕がある。硬い骨の上にある小さな褐色の深い傷だ。原っぱで脚を引っかけて転び、抜くのに苦労するほど深く刺さったのだという。カスミはさぞかし痛かっただろう、と少年の石山に同情してその傷を優しく撫でる。人目も気にせず泣いただろうか。それとも、仲間に知られまいと強がっただろうか。男を好きになるということは、男のあらゆる時間、様々な状況への想像を産み育てることでもある。その頃の石山に会って我が子のように守ってやれたらと思う。

だが、石山は今のカスミにしか興味がない、今のカスミだけが好きなのだ、と言う。石山は、知り合う前の自分に会いたくはないのだろうか。どのようにして今の自分になったか、知りたくはないのだろうか。カスミは不思議で堪《たま》らない。もしかすると石山は、昔の自分、いや自分の昔を否定するカスミの心を薄々勘付いて、そんな風に思っているのかもしれない。それも愛情なのだろうか。考えてもわからない時、カスミは素直に問いを発してしまう。

「昔の私に会いたくないのはどうして」

「今のあなたが好きだから」石山は同じ答えをする。

「昔の私だって、私に変わりはないと思わない？」

「思わない。なぜなら、俺は若い時のあなたに魅力は感じなかった」

「もっと前よ。会う前」

「同じじゃないかな」

「じゃ、どうして今は好きになったの」

「あなたを深く知ったから」

答えになっていないとカスミは苛立つ。

「昔もっとよく知っていたら、今みたいに好きになったかもしれないじゃない」

そう言いながらも、カスミはそれが嘘だと知っていた。二人は十年以上も前から仕事上の知り合いだ。今頃になって恋愛関係になろうとは、全く思いもかけないことだった。しかも、つい最近までカスミは石山の膕にこんな傷があることを知らなかったのだ。本当に相手を「知る」のはこれからなのかもしれない。だとすれば、自分の傷ですら石山はまだ見ていないことになる。

カスミは石山の傷痕にそっと唇を近付けた。石山がくすぐったそうに足を引っ込め、両腕を伸ばしてカスミを引き上げた。糊の利いたシーツに擦《こす》られて背中が熱かった。筋肉の上に少し脂が乗った石山の体は弾力があって、カスミの全身を締め付けるように包み込む。カスミはその感触が好きだ。だが、帰る時間が迫ってきていた。明瞭な悲しさと漠然とした疚《やま》しさがカスミにこのような言葉を言わせた。

「行かなきゃならないわ」

カスミのよく通る声は石山の胸に強く顔を押し付けられているせいでくぐもった。石山が身じろぎし、低い声が胸郭を通してカスミの耳に直接響いた。

「うん、わかってる」

「今度はいつ会えるかしら」

石山が沈黙した。その時間が長く感じられて心配になる。会えなくなること。カスミはそれだけを怖れていた。

「俺、別荘買うことにしたんだ」

なぜ、今そんなことを言うのだろう。カスミは石山の胸から頰を離した。小さな照明が白い天井の半分を淡いオレンジ色に染めているのを仰ぎ見る。ゆっくり視線を巡らせて、風呂場のガラス窓が湯気でまだ曇ったままなのを眺めた。時々、ぽとっと水音がするのは栓が緩んでいるからに違いない。この小さな部屋のどれもが切ないほどみじめだった。ベッドの上だけが二人の世界だ。見上げる空もなく、黄ばんだ遮光カーテンの窓の外にどんな風景があるのか、見たこともない。気付くと、石山が自分の目を覗き込んでいた。

「何見てたの」

「天井」

「どうして俺の顔見ないの」石山がカスミの視線を強引に捉えた。

「それより、どうして別荘の話なんかするの」

「そうしたらあなたとゆっくり会えるからだよ」

石山の黒い虹彩には何も映らない。どういう意味かとカスミは首を傾げる。

「だって、どこに買うの」

「北海道の支笏《しこつ》湖。川が沢山あって釣りができる」

「でも、遠過ぎる。簡単に行けるところじゃないじゃない」

だからさ、と石山はカスミを軽く離して身を捩《よじ》り、タバコをくわえた。苦い気持ちを捨てたいという具合に煙を闇に吐き出す。

「ていうことは、女房も森脇さんも来れないってことだろう」

カスミは自分たちの関係がそこまで深まったのかと溜息を吐《つ》いた。嬉しかった。自分のために石山が別荘を買うと言ってくれたのだから。ある日突然、二人は関係を持ち、気持ちを添わせたり、少し隔たらせたりしながら二年以上も続いていた。それが今では常に抱き合っていたいもどかしさが沸騰し、一生離れたくないという強靭《きょうじん》な思いにまでなっている。だが、石山の決断は退路を断つものにも感じられ、もう後戻りできないのでは、とカスミに微かな不安を抱かせた。

「そんなことして大丈夫かしら」

「何が」

「大胆だわ」

石山はカスミの心の揺れを固定するように、カスミの二の腕をきつく摑んだ。

「俺はあなたに会いたいもの」

「私も同じよ」カスミはつぶやく。

「あなたは北海道の実家に帰ると言えばいい。俺は釣りだ。どう」

「そうね」

顔を背けたから、自分の複雑な表情は石山には見えないだろう。確かにカスミは北海道の生まれだ。そのことは石山にも告げた。しかし、十八歳の時に家出して村を出たきり一度も帰っていないし、連絡も取ってない。その理由を石山に伝えようと思っても、東京出身の裕福な石山には実感できないに違いない。石山の知らない感情の深い襞《ひだ》をひとつ余計に持っている。石山のしたことのない決心をした。これだけで、カスミは石山より強い、と感じることがある。

カスミの脳裏に突然、粗い芝草の生えた校庭から望む灰色の海が広がった。

これから冬に向かう海は荒れている。左側に雄冬《おふゆ》岬。右は稚内《わっかない》まで続くまっすぐな海岸線。浜は小石混じりの黄色い砂に覆われている。海岸で拾う石はどこから流れ着くのか、砂を固めたもののようにぽろりとあっけなく折れる。子供の頃は野良犬くらいしか遊び相手もなく、その石を拾っては一人で割って遊んでいたものだ。この海を見て一生を終えるのなら、死んだほうがましだと子供心にも思った。

中学は、緩やかな丘陵の途中にあった。生徒以外に人気《ひとけ》はなく、サッカーのゴールポスト辺りにいつも烏《からす》が群がっていた。烏は生徒が追っても飛び立とうとせず、ぴょんぴょんと器用に校庭の土くれの上を跳ねて逃げる。海風でコガネギクが揺れる様。低く垂れ込めた濃い雲の色。二階建ての古い校舎の裏を登っていくと、頂上にはペット霊園があった。時々、札幌ナンバーの乗用車が丘を登ってきては犬や猫の死骸を焼き、原野を見下ろす霊園に葬って行く。出来てまだ日が浅いせいか、平べったい御影石の墓はぽつぽつとしか埋まっていない。その脇の地面に深く刺した赤やピンクのセルロイド製の風車が風を切る音を立てて回っていた。

級友たちは挨拶もなく、自転車でカスミを追い抜いていく。海から吹いて来る冷たい風に紺色のレインコートの裾をはためかせ、カスミはいつも一人で帰った。

カスミは目立つ。他人と違う格好をしているからだ。従妹のお下がりのレインコートは皆と同じでも、制服のスカートと一緒に自分で丈を詰めて短くした。紺と緑のタータンチェックのマフラーは雑誌で見た結び方を真似てある。自分で切ったおかっぱ頭の両脇に留めたピンは古いリボンで作った。学生鞄など持たずに祖父の古い鞄を肩から斜めに提げている。だが、こんなに工夫してお洒落しても誰も気付かない。寄り道しようにも、駄菓子屋もファーストフード店もない。

踏み固められたなだらかな丘をとぼとぼ降りて、広い国道を渡ればすぐ自分の家が見える。何もない浜にぽつんとある小さな食堂、『喜来荘』。村でたった一軒の飲食店がカスミの家だった。短い夏の間は海の家になり、行楽シーズンはドライブ客目当ての食堂。吹雪の舞う冬期は地元の人が集まる飲み屋に様変わりした。

カスミは知らない人間が訪れる店が実は嫌いではない。しかし、麺を茹でたり、丼物に甘いタレを注ぐ時の母親の萎《しお》れた顔や、始終レジを開けて金勘定する父親の仏頂面が嫌いで店には寄り付かなかった。店を通らなくては二階の自分の部屋に行けないから、毎日、今日はどんな客が来ているだろうと想像しながら木の格子がはまった引き戸を開けるのだった。知らない客がいると、カスミは階段の途中に腰を下ろして話に耳を傾け、そこでおやつを食べたり宿題をする。村の人間が来て、他人の噂をつまみに父親と飲んでいる時は部屋に引っ込んだ。級友の兄や姉の悪口が耳に入るのが嫌だったのだ。どこそこの娘が誰と出来てるだの、どこで堕したただの、あそこの息子が刑務所に入ってるだのと。いずれ自分も言われるようになることは間違いなかった。この村の大人たちは、自分たちがつまらない生活をしているから、早く子供たちが成長してひと騒ぎ起こし、話の種になるのを心待ちにしているのだと思ったものだ。

あの日は札幌からドライブ客が来ていた。店の前に札幌ナンバーの赤い外車が停まっていたから、何か起こりそうな予感があった。がらがらと戸を開けると、畳席にあるテレビが付けっ放しになっていて、ワイドショーの司会者の声がうるさかった。父親が上機嫌で、椅子に腰掛けたり、立ち上がって灰皿を取ったりしていた。畳席では若い男が窓を背にしてビールを飲んでいた。傍らにおとなしそうな女が横座りに侍《はべ》っていて、ビールを捧げ持って男のグラスに注いでいる。女はその時流行していた太い眉を濃く描き、赤い口紅を塗って派手な化粧をしていたが、若い他に何の取り柄もなかった。ピンクのミニスカートから出た大根足が白くて鬱陶しい。カスミは思わず目を伏せた。そんな女でも、カスミの父親は喜色満面で相手をしていた。

母親はいつものように不機嫌な顔で、一心に何かを刻んでいた。カスミの帰ったことも気に留めていないだろう。母親は自分の人生をどこかで捨てたのだとカスミは密かに軽蔑している。父親はカスミの帰りを待っていたと見え、おう、と嬉しそうに振り向いた。

『これがうちの娘なんです』

『わや、親父さんに似ないで別嬪《べっぴん》でないかい』

男の目に好奇心が表れるのをカスミは目の端で捉えた。

『カスミ、挨拶しないかい』

カスミはぺこんとお辞儀をした。男は笑って片手を上げた。黒いスーツを着て赤いネクタイを締めていた。服地のてかりもパンチパーマも、カスミにはひどく悪趣味に思えたが、粋な若い漁師のように目は明るく弾んでいる。女は無表情にカスミの格好を眺めていた。カスミはすぐさま二階に駆け上がった。制服を脱いでジーンズとセーターに着替えると、階段の途中に腰を下ろし、膝の上に頬杖を突いて男の話に聞き入った。男は低い声で落札の裏話を父親にしていた。学校関係はね、案外女だわ。女が好きだわ。こんなすべたでもへこへこ来るから助平は楽だわ。どうやら、あの若い女を指して喋っているらしい。父親が聞いたこともない下卑た笑い声を上げた。酒に変わり、店内から熱燗の噎《む》せる匂いとスルメを焼く香ばしい匂いとが漂ってきた。カスミは英語のリーダーを広げ、辞書を開いて知らない単語を引き始めた。

『姉ちゃん』

近くで声がした。顔を上げたカスミは驚いて辞書を閉じた。男が数段登って来ていた。

『こんなとこで勉強してるのかい』

『はい』

階段を降りた突き当たりに自宅と共用の便所がある。男は小用に来て階段を見上げ、カスミがいることに初めて気付いたのだろう。カスミが慌てて二階に上がろうとすると、男が腕を伸ばして手首を摑んだ。熱い手だった。

『姉ちゃん。あんた将来何になりたい』

『デザイナー』

『服か』

『いえ、グラフィックです』

『そうかい。でも、あんた一人娘だって』

『はい』

男は共犯めいた顔で忍びやかに笑った。店のほうから、父親が女に何か愛想を言っているのが聞こえてきたが、女の返事はない。男はちらとそっちを窺《うかが》ってからカスミに囁《ささや》いた。

『ここ出たくなったら俺に連絡するといいべ。金出して脱出の機会与えてやっから。悪いようにはしねえから』

『ほんと?』

カスミは男の目を見つめた。男は少し酔っている様子だったが、決してふざけてはいなかった。真面目な顔で深く頷いた。

『あんたの気持ちは俺よくわかるから』

男はポケットから名刺を出してカスミの手の中に押し込んだ。手漉《てす》きの和紙というのか、金のかかった名刺だった。カスミはそれをリーダーの間に挟んだ。男はカスミの反応を見て安心したように笑い、素早い動作で階段を飛び降り便所に入って行った。出て来ると、もうカスミのほうを見ずに女に声をかけた。

『もう帰るべさ。俺酔ったけど、おまえ運転したくないかい』

女がまさかあ、と初めて素っ頓狂な声を出し、二人は笑いながら勘定を済ませて出て行った。カスミは自分の部屋に戻り、貰った名刺を取り出して机の上に置いた。若い男は古内という名で、札幌の北部で建築会社を経営している。カスミはその名刺を財布の中に隠した。結局、カスミは古内に連絡もしなかったし、何も頼まなかった。だが、カスミの頭の中で、その出会いが決心というものを形成する分岐点であったことは確かだった。

「何考えているの。どう思う」

石山の両手がカスミの頬を優しく挟んだ。

「すごく嬉しい」

そう答えたものの、逢瀬のために買う石山の別荘が奇《く》しくも自分の捨てた故郷の近くにあるという事実にカスミは臆している。嬉しさが大きい分だけ、あまりにも罪深いという気がした。

「どう思う」と、石山はもう一度尋ねた。「あなたがいいなら、明日契約するよ」

「ほんとに嬉しい。だけど、私はすぐには行けないかもしれない。うちは忙しいし、子供も小さいし。当分、遠出はできないと思う」

石山は落胆を押し隠して提案した。

「そうか。じゃ、こうしよう。今年の夏休み、試しに皆で来ないか。有香ちゃんや梨紗ちゃんも連れて。うちも家族連れだったら別に問題ないだろう。森脇さんには俺のほうから話しとくから」

「あなたが言えば、あの人は断れない」

石山は無言だった。カスミの夫、森脇道弘は小さな製版会社を経営している。石山は大手広告代理店のグラフィックデザイナーだ。森脇さんは腕がいい、と石山はいつも道弘を指名して版下を作らせてくれる。石山が頼むから、その代理店の仕事も貰える。石山は、カスミも専務をしている「モリワキ製版」の上得意であり、道弘と友人でもあったのだ。

「典子にも言っておくよ」

「典子さんにばれるんじゃないかしら」

「あいつは俺の相手があなただとは思っていないかしら」

カスミは秀でた額が印象的な、典子の美しい顔を思い浮かべる。何度か会っただけだが、あらゆる意味で自分とは正反対だった。四十歳の石山と同い年で、自身もデザイナーをしていると聞いた。石山と同じような境遇で育ち、年齢相応の落ち着きとそつのない態度を備えた趣味のいい女。上品な典子といると、自分を山猿のように思わされる。森脇とカスミにはほとんど関心を払わないのも癪《しゃく》に障る。下請けだと馬鹿にしているのかもしれない。自分が石山と深い仲だと知ったら、典子はさぞかし衝撃を受けることだろう。それだけで自負心が揺らぐだろう。疑おうともしないのは、自分が石山に相応しいと思っていないからだ。カスミの気持ちは黒々とした思いに囚われる。時には、たとえ身が破滅しても知らしめてやりたい、と荒々しい衝動に駆られることさえある。そうしないのは、石山と二度と会えなくなるからだ。いや、違う。石山に対しても感じる、自分の強さという優越がそれを阻むのだった。

カスミが石山と初めて会ったのは、「モリワキ製版」に入社してすぐのことだった。グラフィックデザイナーになりたいとデザイン専門学校を出たものの、カスミにチャンスは巡ってこなかった。あちこちで様々なアルバイトを経験した後、社員四名の道弘の会社に入った。主な仕事は、写植打ちと版下作り。そこで現場を知ってデザインの勉強を続けようと思ったが、受注をこなすだけで残業が続くような職場では到底無理だ。残業代もないに等しく、賃金は安い。親の援助がないカスミは生活するのに精一杯で、勉強しようという意欲も殺《そ》がれていった。だが、それはそれでいいのだった。カスミの目標はとりあえず東京で一人生きていくことだったのだから。カスミは週末だけアパートのそばのスナックでアルバイトを始めた。その収入が洋服代や映画代になるというぎりぎりの生活が続いた。

石山はカスミが入社する数年前から道弘にほとんどの仕事を発注するようになり、わざわざモリワキ製版に出向いて自ら指示していた。石山は「大手は粗いが、森脇さんの腕は凄いよ」と作業台の横に立ち、道弘が烏口《からすぐち》を引く鮮やかな手付きを真剣な顔で見つめていたものだ。明るいジャケットを羽織った石山が会社に入って来ただけで、灰色の狭い職場に違う風が吹き込み、爽やかだった。その風は、カスミのいまだ知り得ない世界があることを示していた。贅沢さや余裕から生まれる魅力と能力。カスミは、自分があの村からようやく脱出してきたというのに、出発点から違う人間が存在するという事実に純粋に驚きを持った。六歳上の石山は、出来上がった世界から来た人間。カスミの興味を引かなかった。

「最初に会った頃、あなたはいつも上の空に見えた」

「お金がなくて疲れていたの」

「でも、のんびりしてたな」

「若かったから貧乏だったけど、自由で幸せだった」

石山は首を傾げる。

「冬の日曜日、新宿でばったり会ったことがあったね。あなたは洋服を買った後だった。可愛いと思ったから誘ったのに、何だかうまく話せなかったね」

あの時は、とカスミは夕闇の街に漂う排気ガスの臭いや新しい服の入った紙袋のがさがさする感触を思い出した。石山は突然、目の前に現れたのだった。紀伊國屋書店の下の通路だった。新しい服を買ったからといって、カスミは決して浮き浮きと歩いていた訳ではなかった。その日、友達と買い物に出かけ、気持ちを沈ませる出来事があったのだ。

友人は男物の野暮ったい空色のコートを引きずるようにして着ていた。そして、カスミの顔を見て困った様子で笑った。

『沖縄から突然父親が出てきたのよ。冬の東京は初めてだからって、この派手なコート着てさ』父親は那覇でタクシーの運転手をしているのだという。『いくら東京が寒いったってこんな色のコート、着ている男の人は誰もいないよって言ったらさ、帰る時にあたしに置いてくためにに空色にしたんだって言うんだよね。ださいけど貰わない訳にいかないじゃない。親ってとんでもないこと考えるよね』

悪し様に言いながらも彼女は満足げだった。カスミは友人のコートを改めて見た。初秋の空の色みたいに澄んだ美しい色のコートは、友人には大き過ぎた。カスミは眩《まぶ》しい思いでコートを暫《しばら》く眺めていた。東京に来て初めて、自分から家族を捨てたことを、村から脱出したことを後悔したのだった。吹っ切ったつもりでも、心の底にはまだそんな気持ちが潜んでいる。カスミは自分に腹立たしさを感じると同時に、寂しくて堪らなかった。

そのような時、偶然出会った石山に『買い物したの？　楽しそうだね』と言われ、石山の鈍感さと楽天を憎んだのだった。石山にとって、運の悪い言いがかりに過ぎないのもわかっている。しかし、カスミは、石山が自分の複雑な感情や状況を考えもしないのは、裕福な環境のせいなのだと勝手に考えた。石山は、屈託なく、映画を見た帰りだと説明し、カレーでも食べようと中村屋に誘った。何を話したか、カスミは全く覚えていない。ひたすら居心地が悪く、早く自分の部屋に帰りたかった。その後、数回、石山に誘われて食事をしたが、一度も面白いと思えなかったのは空色のコートが引っかかっていたからかもしれない。

「あなたは森脇さんを好きだったから結婚したの？」

右手は休みなくカスミの体を愛撫し続けながらも、石山は突然、核心に触れる質問をした。帰る時間が迫ってくると、石山はこうしてカスミを責めるのだった。

「あの人は私を助けてくれたから」

夫に失礼な言い方だと認めつつ、カスミは正直に答える。電車賃にも困るほど金がない時など、カスミは財布の底から古内の名刺を取り出しては眺めた。名刺はすでに角も丸くなっていた。電話をしてみようか、と受話器を持ち上げてはやっとの思いで留まる。そんなことを繰り返した。あれから十年近く経っている。札幌にいる男に今頃助けを求めても仕方ないのだった。それに、古内の仕事は胡散臭《うさんくさ》かった。体《てい》のいい人買いかもしれないのに、今更何も知らない中学生の真似などできるはずもない。カスミはすでに二十代半ばだった。

カスミに手を差し伸べたのは雇い主である道弘だった。道弘はカスミの十歳年上。背を屈《かが》めて版下に向かっている姿は、会社にいる三人の初老の職人と同様、この小さな職場で満足して生きていくであろうと想像させた。遥か先まで読める人生を黙々と歩む男。自分の技術を誇っている男。カスミは尊敬こそしていたが、男として見てはいなかった。

しかし、道弘は決して鈍感ではなかった。

ある日、カスミが昼食を抜いた時、部屋の隅にカスミを呼んで低い声で尋ねた。

『カスミちゃん、昼飯どうしたの。困ってるんじゃないの』

『いえ、別に』

『無理しないでいいよ。給料前払いしてあげるから』道弘は照れ臭そうに小さな声で続けた。『その代わり、スナックのバイト辞めないか』

『ご迷惑かけてますか』

『いや、きみの体が辛いだろうと思っただけだよ』

道弘は更に部屋代を半分補助するとまで言ってくれた。入社して五年、カスミはすでにモリワキ製版の経理も担当するほど道弘の仕事を助け、なくてはならない人間になっていたから、辞めてほしくないのだろうとカスミは思った。

『ありがとうございます。だけど、私だけいいんですか』

『いいよ』

『どうしてですか』釈然としないカスミは単刀直入に尋ねた。

『好きだからだよ』

道弘ははっきり言ってしまった自分自身に驚いたように俯《うつむ》いて口を噤《つぐ》んだ。カスミは動悸を抑え、古いビルの中にある三つの作業台や新旧二台の写植機を眺めた。午後の陽が斜めに射して、付けっ放しのＦＭ放送と三人の年輩の職人が真剣に作業する音以外は何も聞こえてこない。室内は穏やかで普段と変わりがなかった。その時、古内は道弘となって現れた、とカスミは思ったのだった。あるいは空色のコートだと。半年後、道弘に求婚された。カスミは考えた後、受けた。そういう人生も思ってみなかった分だけ、やってみるのもいいかと考えたのだった。

石山は同級生の典子ととっくに所帯を持っていた。カスミが道弘と結婚してみて驚いたのは、石山と道弘が私的にも親しいということだった。カスミは仕事上だけでなく、今度は道弘の家族として石山と付き合い始めたのだ。石山は二人の中野の新居によく現れるようになった。だが、道弘とカスミが典子に招ばれたことは一度としてなく、石山がどんな家庭生活を送っているのかは謎だった。石山のところに次々子供が誕生した事実が、何より安寧を物語っているような気がしていた。

「あなたとこんな風になるなんて思ってもいなかった」

石山の腕の中は、甘美な牢獄だと思いながらカスミはつぶやいた。時間が迫っているのに、いつまでも囚われていたい。

「そうかなあ」石山が檻にも感じられる腕を狭めてカスミを閉じ込めた。「あなたはわかってたと思う」

「何を」

「失礼なこと言って悪いけど、あなたは収まりっこないんだよ」

「私が、何に」

「すべてに」と言って、石山は言葉を切った。

すべて。それは道弘か、仕事か、自分の選び取ったこれまでか。それなら自分はどうすればよかったのだろう。なぜ、石山は自分の過去を知りたくはないのにそんなことを言うのだろうか。カスミは部屋の隅の暗闇を見つめる。

一昨年の春だった。版下の納品に八王子まで出向いたカスミは、夕暮れ時、会社のある神田まで戻って来た。梨紗を産んでまだ半年。電車の中で吊革に摑まったまま居眠りするほど疲れていた。まっすぐ帰宅したいところだったが、徹夜で作業する道弘たちの夕食を手配したり、経理の仕事を片付けなければならない。

受注が多いからではなかった。急ぎの仕事を厭わずこなさなければ、会社は生き残れない状況になりつつあったのだ。パソコンの普及に伴い、写植打ちによる版下製作は急速に需要をなくしていた。カスミは、会社に帰るのが苦痛だった。職人たちがカスミの顔を見ると、露骨に目を背け始めたからだ。

カスミは一番年長の社員を一人辞めさせていた。いずれは全員辞めてもらうつもりだった。職人は道弘一人でいいから、浮いた人件費でパソコンを導入し、パソコンを使える若い人を雇おうとしていたのだ。その計画が知れたのか、会社の空気はひどく悪くなった。道弘でさえも、時々カスミを責める目付きを隠さない。カスミの気の強さや実行力に辟易《へきえき》している様子が仄《ほの》見えた。一番味方になってほしい者に裏切られた気がして、カスミは孤独だった。確かに自分が決断して実行しようとしていることは辛《つら》い。だが、誰かが断行しなくては、いずれ自分たち一家は路頭に迷うだろう。何もせずに潰えていくことだけは絶対にしたくない。カスミの原動力はそこにあるのに、こういう時、道弘はまるで運命を甘受しようというように沈黙しがちだった。

カスミは中央線の電車から外堀の土手に咲く満開の桜を見た。青みがかった灰色の空に映えて、鳥肌が立つほど美しかった。桜はすぐ視界から遠ざかって行く。電車が神田駅に着いて改札を出た時、夕方の冷たく埃っぽい風がカスミの懐に入って来た。カスミは震え上がって薄いカーディガンを掻き合わせ、なぜ自分はこんな汚くて寒い街にいるのだろうか、と考えた。

かつて、あの村で、ないものは自分で作ってまでも他人と違う装いをしようとしていたのはなぜだろうか。自分が自分であることを必死に主張していたからだ。今はその元気も気概もない。バーゲンセールで買った似合わないセーターとパンツを身に着け、髪は黒いゴムで結わえたきり。化粧気もなく、子育てと生計に疲れた女がいる。何の装いの工夫も、考えることさえできない。ゆっくり桜を眺めるゆとりもない。カスミは急に自身が惨めに感じられた。これが村からの脱出の果てに夢見た生活だったのだろうか。

あの日、道弘の好意を甘んじて受けたからではないか。

古内は、カスミの中にある、まだ形のない決意を容器に入れて固めてくれた男の象徴だった。カスミ自身が自身であることを強固に主張していたからこそ生まれてきた決意。古内はそれを瞬時で見抜いていた。道弘は古内ではなかった。道弘の興味は満足のいく版下作りだけ。カスミを理解しようとはせず、モリワキ製版という自分の世界に塡《は》め込もうとしている。道弘の求婚を受け入れた時、自分ははっきり間違いを犯したのだ。カスミは茫然として立ち竦《すく》んだ。解放感に溢れ、見るものすべてが新鮮で驚きに満ちていた街は様相を変え、敵意を露わにして無力なカスミを取り囲んでいる。行き場をなくした気がして、カスミはひどくうろたえ、暮れゆく街を眺めた。

モリワキ製版のビルのある通りは小さな飲み屋が多く、開店前で人影は絶えてなかった。よろめくカスミの脚に、コードを巻き付けた飲み屋の看板がぶつかって青痣《あおあざ》を作った。臑を擦《さす》って顔を上げると、店先に汚れたお絞りの入ったバスケットが無造作に置かれていた。放り出されたお絞りの冷たさを想像し、たちまちカスミの体に鳥肌が立った。嫌だ、と激しく思った。この無人の猥雑な街を通り抜けて道弘のところに戻らなくてはならない。カスミは唇を嚙み締めて、通りを歩いた。

モリワキ製版のある古いビルの玄関に入った。ちょうどエレベーターが閉まる直前だ。カスミは乗ろうかどうしようか迷って立ち止まった。会社に帰るのが嫌だった。閉まりかけた扉がまた開く。濃紺のジャケットに赤いポロシャツを着た石山がボタンを押してカスミを待っていた。カスミは思わず、その姿に魅せられて立ち止まった。乗りなよ、というように石山が笑いかける。カスミはエレベーターに飛び込み、更に石山の両の腕の中に強引に自分をこじ入れていた。自分の知らない違う世界に入って行きたかったのだ。

「どうしたの」

石山が驚いた様子でカスミを抱き止め、耳元で囁いた。カスミは顔を上げ、石山の目を見ながら顔を引き寄せてキスした。ゆっくりした動作で強引だったのを覚えている。唇を離してから、こう言った。

「桜、見に行かない？」

石山は暫くカスミの真意を問うように目の中を覗いていた。カスミも見つめ返した。石山の目の驚きが収まり、やがてそこに不思議な青い光が現れた。

「いいけど、急だね」

「今思い付いたの」

石山が柔らかく笑った。エレベーターはどこにも止まらず、六階まで二人を連れて来た。扉が開く。真っ正面に会社のドアが見えた。ガラスに貼ってある紙に、社名の写植文字が読める。「モリワキ製版」。百二十級のナール体。蛍光灯の光がガラス窓を中から青白く照らしていた。写植を打つ音まで漏れ出てきそうだ。カスミはいちはやく手を伸ばして「閉」のボタンを押した。

「どこが見頃かなあ」

下降するエレベーターの中で、石山はそうつぶやいただけだった。カスミは何も言葉を発しないで、石山の手を引いてビルを出た。飲み屋街はまだ点灯されていない。薄暗い街で、カスミは目を左右に泳がせる。自分が何をしたいのか、どこに行きたいのか、なぜ石山の手を引いているのか、わからなかった。

「どこに行きたいの」

石山は版下の入った袋を持ち替え、カスミの顔を心配そうに眺めた。

「ラブホテル」

カスミは答えた。石山は通りかかったタクシーを停めた。行く先を告げ、気が変わるのを恐れるようにカスミの凍えた手を両手で握り締める。石山の手は温かく、カスミは体も温めてほしいと石山のジャケットの中に潜り込んだ。車は湯島のラブホテルの前で停まった。二人で入ったのは、ダブルベッドしかない小さな部屋だった。カスミの心には、どうして石山とこのようなところにいるのだろう、という信じられない思いが何度も湧き上がってはきていた。違う世界に行きたいと願った先が、こんな矮小《わいしょう》な空間だったとは。しかし、躊躇はなかった。すでに出来上がった世界で安住しているかのように見える石山なら傷付けてもいいと思ったのかもしれない。惹かれつつも憎んでいる、という不思議な感情。カスミはこの時、石山を誘った自分をも憎んでいた。ダブルベッドと窓の狭い隙間に立ち、無言でカーディガンを脱いだ。カーディガンは染みの付いたカーペットの上にだらしなく落ちた。

「何かあったの」

「いいから抱いて」

「どういう風に」

「あなたが考えて」

温かい食べ物がどこにもない。自分は飢えている、とカスミは思った。先にベッドに横たわると、シーツの冷たさで震えてきた。寒い寒い、とカスミはつぶやき、シーツにくるまる。石山が乱暴に剝ぎ取って、驚くカスミの両腕を押さえ付けた。石山なら優しくしてくれるとどこかで期待していたカスミは裏切られた思いがした。乱暴といってもいい挙措《きょそ》は性交している時も同じで、カスミは何度も抗議の声を上げ、仕返しに石山の肉を嚙んだ。互いに快楽とは程遠い荒々しさに満ちた行為だった。終わった後、石山はカスミの髪を撫でて言った。

「この次は優しくするから、あなたもそうしてくれ」

次がある。互いに酷い仕打ちをしたというのに、石山はまだ自分と関係を持ちたいというのだろうか。カスミは驚いて顔を上げた。

「どうして」

「誰でも良かったんだろう?」

カスミは言葉を失い、果たして石山以外の男でも良かったのかと考え込んだ。

「考えているね。そうだろう」

「違うと思う」

カスミはエレベーターの中にいた石山を見て、自分が魅せられたのを覚えていた。

「なら、嬉しい。俺なら、あなたを大事にする」

「それはどういうこと」

「さあ。その都度考えるよ」

古内がカスミの幼い決心を固めてくれた男なら、道弘はそれを苦い現実という形で味わわせてくれた。しかし石山となら、更に知らない世界に行けそうな気がした。石山が出来上がった世界の住人だと思い込んだのは間違っていた。むしろ、自分や道弘がそうだったのだ。

その夜、二時間遅れて会社に戻ると、道弘と二人の社員は買ってきた弁当を食べている最中だった。蛍光灯の光の下で、梅干しに赤く染まった白飯がひどく冷たく見えた。道弘が割箸を置き、不機嫌な顔でカスミを見遣った。

「ごめんなさい、遅くなって」

「保育園から電話があった」

「何て」

「連絡もなしに遅れているからに決まっているじゃないか」

「ここに戻って来たって、どうせお迎えは遅れるじゃない」

カスミはポットから茶を注ぎながら口答えした。

「そういう問題じゃないだろう。何してたんだよ。忙しいのに俺が弁当買いに行ったんだぞ」

社員たちは夫婦喧嘩とも社員同士の諍《いさか》いともいえない言い争いに、黙りこくったまま弁当を口に運んでいた。一番自分と反目しているはずの初老の男が、気の毒そうにカスミをちらと見た。カスミはその視線に傷付き、石山から預かった版下をそっと机の上に置いた。

「それは？」

「下でばったり会ったから預かってきた」

「石山さん、直しは急ぎだって言ってたのか」

「知らない。自分で確かめたら」

「しょうがないなあ。子供の使いだってもっとましだろう。最近、おまえたるんでるよ」

確かにたるんでいた。だが、幼い子供を二人抱え、仕事も普段通りこなすには気持ちを立て直すだけでは乗り越えていけない。カスミは思わず心の中で悲鳴を上げた。ここには、潤いもなければ思い遣りもない。たった今まで、道弘が冷たい飯を食べていたのに自分が石山とラブホテルに行ったことを申し訳なく思っていた。が、急に道弘が故郷の灰色の海に思えた。脱出。この思いがむくむくと起きてくるのを抑えることはできなかった。石山の「この次」という言葉が、カスミの唯一の救いとなった。

「ほんとにいいね。俺買うよ」

石山がカスミの上に覆い被さって目を見た。真意を汲み取ろうと必死に覗き込んでいる。エレベーターの中の石山を彷彿《ほうふつ》とさせた。

「ええ」

「俺、とんでもないことをしていると思ってるよ。だけど、誰もいないところにあなたと一緒に行きたい」

「わかってる」

「一緒に行こう」

「ええ」

口づけを交わしながら、カスミは目を開けて天井を見た。その決意が何かを思い出させた。

カスミがとうとう家を出た時のことだった。

両親はカスミが地元の高校を卒業した後、家出するのを恐れて監視の目を光らせていた。札幌の専門学校なら許すが、東京に出るなどもっての外だと言うのだ。カスミは東京に行きたかった。札幌ならバスで片道三時間だ。決して遠い場所ではないから、何かあれば連れ戻される可能性もあるし、親が始終様子を見に来るだろう。カスミは貰った金でこっそり東京のデザイン専門学校に願書を出した。

札幌に出なくては東京にも行けない。札幌行きのバスは朝夕二本ずつと、昼の一時、そして夜八時に一本、の計六本だった。夜八時のバスは時刻表の横に小さく「終車」と書いてある。チャンスはそのバスしかない、とカスミは考えた。夜は両親とも店の片付けで忙しいし、飲む客がいれば仕事に追われるからだ。それに、カスミが夜中に札幌に到着するバスを選ぶはずがないと高を括《くく》っている様子も仄見えた。なら、裏を掻くまでだ。

カスミは「終車」という文字を見る度、そのバスでこの村を出て行き、二度と帰って来ないという決意を固めた。「終車」の字面は寂しく、二度と故郷に帰らないという思いはさすがにカスミの気を沈ませた。行きたいが怖い。本当に自分にそんな大それたことができるのだろうか。古内に貰った名刺はカスミのお守りとなった。名刺を握り締め、カスミは「終車」に乗ることを毎日想像した。

卒業式が終わると、両親は毎日早起きしてカスミの部屋を覗くようになった。ちょっとでも姿が見えないと交代でバス停を見張っている。カスミは友達に頼んで、小分けした荷物をバス停の裏にある枯草の中に隠してもらった。そして、決行を決めた夜は風呂に入ったり、一緒にテレビを見たりしてくつろぐ振りを装った。

午後七時半過ぎ、カスミはテレビの音を大きくしたままこっそり着替え、二階の小さな二重窓からトタン葺《ぶ》きの屋根の上に出た。トタンを踏みしめる足音が辺りに響いて、その度に心臓が停まりそうになり、耳を澄ませる。店からは、今日は大丈夫だろうと安心した母親がのんびり食器を洗う音がしていた。時々レジの音が鳴るのは父親が売り上げを勘定しているからだ。カスミはほっと息を吐き、空を見上げた。三日月だった。三月の終わりだというのに、冷え込む夜で洗い髪が頬に冷たい。ダッフルコートの下に何枚も下着やセーターを重ね着したため、着膨れした身動きの取れない体でカスミは屋根から飛び降りた。どさっと予想外に大きな音がした。二人が気付くかと肝を冷やしたが何も起きない。カスミは、歩いて十分ほどのところにあるバス停まで全力で駆けた。

国道は時々車が行き交う程度だった。すぐそばで、ごうごうと海鳴りの音が聞こえる。

原野を吹き渡る風も同じような音を立ててカスミを脅かす。右の頰には真っ暗な海が発する大量の水の気配、左の頰からはこれも暗い原野の大いなる荒涼が感じられた。カスミはその両方から逃げなくてはならない、と必死に走った。バスが行ってしまったらどうしよう、真っ暗な夜に一人取り残されるのではないか。それだけが心配で堪らなかった。

ようやくバス停に辿《たど》り着き、カスミはすぐに懐中電灯をつけて荷物を探した。裏の茂みにゴミ用のビニール袋に包まれて無事だった。カスミは急いで荷を背負う。暫くすると、国道の向こうからヘッドライトをハイビームにしたバスがやって来るのが見えた。カスミは夢中で懐中電灯を振り、合図した。

『はい、札幌行き終車です』

運転手がしゅっとエアの音をさせてドアを開いた時、カスミは腰が抜けそうになった。不思議な顔をする運転手を無視して、カスミは一番後ろの席に陣取った。他に乗客はいない。バスが走りだす。こわごわ背後を振り返ると、村の灯が遠のいていった。とうとうやったという喜びとこれからの生活に対する大きな不安。希望があるのか、失望か。この時ほど、相反する二つの激しい感情を一緒に持ったことはなかった。

石山の提案は、「終車」と同じではないだろうか。その思いがカスミの胸に去来したのだった。家出には達成感と希望とが確実に存在していた。石山との逢瀬には希望というより、今ある喜び、それしかない。「終車」は二度と戻らないことを意味したが、どんなに今の生活が閉塞していてもカスミには二人の娘を捨てることまでは考えられないのだ。

「あ、もう駄目だわ」

時計を見たカスミは身を起こし、急いで服を着た。床の暗がりに落ちている下着を拾い、石山がボタンを外したシャツを探す。がっかりしたようにまだベッドに留まっている石山が優しく言った。

「じゃ、気を付けて。北海道で会おう」

「ええ」

にっこり笑って手を振り、カスミは手で髪を撫で付けながらホテルの部屋を出た。情事の痕跡は自分の姿に歴然と残っているかもしれない。確かめる時間さえなかった。それでもカスミは時間ぎりぎりまで石山と抱き合っていたい。

中野駅前に置いてあった自転車を走らせ、カスミは自宅マンションに戻った。保育園の保護者会行事の幹事になったので打ち合わせに行くと称し、家を二時間ばかり空けていたのだ。近頃は石山がカスミの都合に合わせて近所まで来る。

道弘は梨紗を風呂に入れている最中らしく、風呂場から梨紗がはしゃぐ声と跳ねる湯音が聞こえてきた。カスミは風呂場の扉を叩いて、道弘に帰宅したことを知らせた。

「ただいま」

脱衣場にある湯気で曇った鏡で乱れた髪を直し、上気した顔を検分した。石山に会った日はいつもより目が輝いて見える。

「お母さん、どこに行ってたの」

五歳の有香《ゆか》がカスミの横に立って見上げていた。有香は歳の割に鋭いところがある。カスミは有香の強い視線に少し臆しながら、考えてあった嘘を言った。

「喫茶店。みいちゃんのママとか、ユキト君のママと会ってた」

「お酒飲んだの？」

「どうして」

「顔が赤い」

有香は軽蔑するように言い捨てて、テレビのある部屋に走って行った。ピンクのパジャマに着替えた後ろ姿を見てカスミは洗面台に両手を突いた。幼児にまで嘘を吐《つ》く自分が情けなかった。誰にも告げてはならない思いを抱えて生きるとはこういうことなのだ。風呂場の扉が開き、真っ赤に上気した梨紗を抱いた道弘が現れた。

「遅かったね」

道弘が梨紗をバスタオルでくるんでやりながらカスミを見た。

「ごめん。ついお喋りして」

四十四歳になった道弘の髪は薄くなり、風呂上がりに頭皮に張り付いて地肌が透けて見える。カスミはこの男が石山だったら、という思いで胸が塞がった。すぐに情事を終えてきたばかりの自分の罪深さに怯える。しかし、罪悪感を上回る喜びが石山との逢瀬にはある。決してやめられない。やめたら生きてはいけない。石山と会うことだけが今の自分の「脱出」なのだから。

2

石山は乱れたベッドで、ぐずぐずとタバコを吸っていた。幼い子供を抱えて時間に追われているカスミとの情事は、いつもあっけない別れで終わる。忙《せわ》しなく服を着けたカスミが一足先にラブホテルを出て、残った石山がシャワーを浴び、部屋を片付けて払いを済ませる。こうして二年も続いてきたのだが、一人取り残された時間に慣れることだけはどうしてもできなかった。

もっとカスミと一緒に過ごしたい。カスミの戸惑う様や、迷ったり怒ったりする感情の動きをひとつひとつ確かめながらずっと眺めていたかった。石山はカスミの吊り上がった切れ長の細い目や、厚い大きな唇を懐かしく思い出した。さっきまでこの指でなぞっていたのに、それはもう遥か昔のことに思える。カスミの顔は、よく見ると造作のそれぞれが大きくて大胆なのだが、全体のバランスが実に精妙に女らしく組み合わさっている。石山は美大時代にしたデッサンのように、カスミの目や鼻や唇の形状を思い出し、空想の筆で描いてみようとした。だが、頭の中に浮かぶのは、カスミが腹這いになって床に落ちた衣服を探す時の腕を伸ばす仕草や、自分と会った瞬間の喜びがさっと現れた表情だった。カスミを部分に分けることは最早できなかった。自分にとってカスミは、自分という男を照らし出す得難い存在であり、豊かな未来に繋がる希望でもあった。石山はタバコを潰しながら、カスミを手に入れられない自分をもどかしく思った。

だからといって、北海道に別荘を買うという馬鹿げたことをしでかしてもいいものかどうか、石山は実は迷っていた。金の面ではなかった。別荘といっても、北海道なのだから軽井沢に買うのとは訳が違う。サラリーマンの自分でも買えない額ではない。石山は目黒区駒場に六十坪の家を相続していた。暮らしぶりも節度を弁《わきま》えた程良いものだ。ゴルフはしても、ゴルフ会員権を買いたいとも思わないし、デザイナー仲間の友人のように外車に血道を上げたり、暇さえあれば家族で海外旅行をしたり、というタイプでもなかった。これからかかる金は二人の子供の教育費くらいで、それもさほど心配はしていない。石山が好きなのは釣りだ。休日の朝早く起きて奥多摩や丹沢に入り、一人でポイントを探して川を上る。そこで半日、釣り糸を垂れて満ち足りて帰ってくる。ほとんど金のかからない趣味だった。

カスミに別荘の話をした時、カスミが「大胆だわ」と言った一言が応えていた。カスミの気持ちはわかっているつもりだった。情事のために買うと言ってしまった自分の言葉が、カスミを不安にさせたのだろう。だが、もっと心から喜んでほしかった。これは自分勝手な思惑だろうか。


自分の今の迷いというのは、このままでは別荘を買うことによって、逆にカスミがただの愛人になりはしないか、二人の関係がただの愛人関係に固定しないかという不安なのだった。見えない未来に一石を投じてしまった。カスミはそう思っていることだろう。石山の夢見たことは、もっと先を想定していた。自分はいずれ、会社を辞めて離婚し、目黒の家は典子にやる。そして、カスミにも別れてもらって二人で別荘で暮らす。甘い空想を密かに育てていたのだが、そこまで言い出す勇気のないうちにカスミは不安を抱えて帰ってしまった。確かに自分の夢は幼稚だ。だが、実現不可能ではない、妻や子や森脇やカスミの子供たちを累々と犠牲にすれば。利己的なことは百も承知だ。しかし、利己的になるのにこれほど勇気が必要だとは。他を振り捨てても自分自身でいたい。今まで考えてもいなかった。もし、自分でいられないのなら、後の生は死と同じことだ。

石山は冷蔵庫からビールの小瓶を取り出した。少し温《ぬる》かった。飲もうか飲むまいか考えながら両の掌で瓶を弄《もてあそ》び、カスミのいない人生を考えた。駄目だ、と首を振る。カスミとの出会いは、自分を根底から変えてくれた。感情には深い谷や高い山の頂があること、他人を理解することが自身の喜びになること、安定や充足は緊張に支えられていること。これまで、そんなことには無頓着で生きてきた。仕事で成功すれば、後はすべてほどほどでいい。漠然とそう考えて生きてきた。カスミはもっと混沌としていて、その癖、犬のように感情がまっすぐで、自由に流れている。それでいい。他に何がある。

カスミの持つものは石山にとって全く未知の世界だ。まだ知らない部分が沢山ある。以前の石山なら、知らない世界を覗くことはしても、そこに留まろうとはしなかっただろう。今はその世界を旅し、さらに二人で地球の裏側にまでも掘り進みたいとさえ思っているのだ。

石山はベッドの上に置いた腕時計を取って腕に塡めた。午後十一時。こんな虚しい部屋は早く出て帰りたい。しかし、典子が寝入ってからのほうがよかった。石山はビールの栓を抜いた。泡が噴き出し、瓶を摑んだ手を伝って腕時計まで濡らした。石山は傍らにあったバスタオルで腕を拭った。グラスに注がず、瓶に直接口をつける。バスタオルがカスミの使ったものだと気付いて、初めてモリワキ製版でカスミを見た時のことを思い出した。十二年も前の話だ。

モリワキ製版は腕がいい。惚れ込んだ石山は、使いの者やモリワキの営業マンに原稿を渡さなかった。自分で持って行って森脇道弘に説明し、版下が出来る過程もそばにいて、細かく指示するのを好んだ。仕事が面白いようにうまくいっていた。制作局で一番のデザイナーになろうと野心に燃え、手応えを感じ始めた頃。石山は、じきに広告業界に自分の時代が来ると確信していた。

残暑の厳しい九月初め、石山はふらりとモリワキ製版を訪れた。たまたま近くに来たので、頼んでいた新聞広告の版下が上がっているかと寄ってみたのだった。見たことのない若い女が作業台の前に座っていた。オリーブグリーンのタンクトップにカーキ色の作業ズボンのようなパンツ姿で暑い暑いと団扇《うちわ》であおいでいた。気温は三十五度もあるというのに、クーラーが故障していたのだ。それでも全員が熱心に作業していた。石山はあまりの蒸し暑さにジャケットを脱ぎ、噴き出る汗をハンカチで拭いた。

石山に気付いて、女が少し面倒そうに立ち上がった。その瞬間、丈の短いタンクトップから深い臍《へそ》が覗いた。兵士のような格好をしているのに色が白く、肩から腕の線が伸びやかで女らしい。尻が立派でルーズなパンツがよく似合っていた。だが、自分の発する性的魅力がわかっていないらしく、立ち居振る舞いが乱暴な分だけ逆に可愛かった。面白い子がいると石山は思った。

「どちら様ですか」

女は通る声でぎこちなく問うた。

「石山といいます」

森脇が自分の作業台から振り返った。その目が真っ先に女に奪われ、それから石山を見て手を挙げた。

「あ、どうも。もう出来てますよ」

女は用が済んでよかったとばかりににこっと石山に笑いかけた。笑い方は屈託なくて、客人に対するものとしてはやや傍若無人だった。地道で律儀な職人ばかりのこの会社では、明らかに異質の存在であることは確かだ。女の一挙一動を、暑さのせいでランニング姿になった初老の男たちまでがちらちらと気にしている。この中高年の男ばかりの職場で、一番若いのが営業、次が経営者である森脇だった。森脇が隅の応接セットに案内してくれた際に、石山は女を指さした。

「新人ですか」

「そうそう。見習いだけどね。おい、カスミちゃん、ちょっとおいで。お得意さん、紹介するから」

カスミと呼ばれた女は団扇を置き、踊るようにやって来た。

「こちら、協広社の石山さん。これは今度入った浜口カスミです」

カスミはまだ名刺を作ってもらっていないらしく手持ち無沙汰に立っていた。柄が大きく、長い手足を邪魔臭そうにあちこちに持っていく。子供っぽいというより、上の空に見えた。石山が挨拶すると、カスミは相変わらず堅いお辞儀を返し、さっさと自分の席に戻って行った。カスミが気が利かないので、森脇が苦笑しながら自分で冷蔵庫から麦茶を出して石山に勧めた。

「あの子、デザイナー志望でね」

「へえ、そうですか」

石山は気の毒に思った。競争は激しい。勝ち残るには才能だけではなく、運も必要だった。製版会社がデザイン室を持っているところもあるが、モリワキ製版は純粋に写植と版下作りだ。多分、受注に追われて腕は磨けないだろうし、チャンスもないだろう。石山の思いを敏感に察してか、森脇が付け足した。

「何か聞かれたら、悪いけど教えてやってください」

「僕でよかったら」

石山はカスミのほうを見遣った。カスミは茶がかったショートカットの髪を汗でべったりと額に張り付かせ、一生懸命に烏口を使う練習をしていた。あの臍にも汗が溜まっているのだろうかと石山は密かに想像した。

「版下のほうはどうですか」

森脇はテーブルの下でこっそり指でバツ印を作った。

「駄目ですね。まあ鍛えてやろうと思っているけど、あんまり器用じゃないから向いてないかもしれない。何だか発想が奇抜でね、変わってるんだ。でも、案外真面目そうだし、うち女の子一人もいないしね。いずれ経理でもやってもらおうかと思ってるんだけど」

「だってデザイナー志望なんでしょう」

「いやあ、あの子は切り替え早そうですからね」

森脇の言い方に、石山は反感を持った。だが、カスミを見る森脇の目は細められ、可愛いと自ら語っている。石山は違う風に吹かれているようなカスミが気に入っただけに、森脇の言いなりになるならつまらないと少々失望したのだった。

その晩、石山は森脇に誘われて新宿で飲んだ。森脇は酔ってカスミのことばかり喋っていた。

「あの子、ちょっと野生動物って感じでしょう。誰が捕まえて飼い慣らすかって感じだよね。まあ、俺なんか歳だし釣り合わないけどね」

そうは言っても、狙っているんだなと石山はおかしく思った。その時、森脇は三十二歳。大手の製版会社から独立して会社を作って三年。経営が軌道に乗ってほっとしている頃だった。

「釣り合わないことないよ。あの子幾つ」

「二十二じゃないかな」道弘は眼鏡のメタルフレームのブリッジをしきりに指で持ち上

げた。細身でしなやかな体付きの道弘は理系の技術者のような風貌をしている。「うちに来る前はデザイン関係のバイトを転々としてたらしいんですよ」

「自由奔放そうだね」

「週末はスナックでバイトをしてるけど、案外堅そうでね」

石山の言葉に森脇はむっとしたらしく庇《かば》った。石山はカスミの臍を思い出し、軽く遊んでやろうかと思わないでもなかったが、森脇が執心している様が見えたのでやめにしたのだった。男たちにカスミはその程度の思われ方しかされていなかった。誰もが、いずれカスミはもっと割のいい仕事を見付けてどこかに行ってしまうと思っていたのだ。

数ヵ月後、同僚と昼飯を食べて帰って来た石山は受付で待っているカスミを見かけた。カスミは大きな版下の袋を抱えて、まるで修学旅行の生徒さながらに大理石張りの玄関を珍しげに眺めていた。白のTシャツ、黒のカーディガンにチノパンという格好も学生みたいだった。

「モリワキさん」

石山に会社名を呼ばれ、カスミは、落胆した顔で振り向いた。もっと自由に見物していたかったのだろう。石山は受付脇のソファに案内して版下を受け取った。石山が袋から版下を出して眺めている間、カスミはカメラマンやモデルも出入りする広告代理店の広いロビーを興味深げに見入っていた。石山はカスミがデザイナー志望だということを思い出し、憧れがあるのだろうと気を回しかけたが、カスミは動物園にでもいるように目を輝かせて様々な人物の出入りを楽しんでいる。

「珍しいですか」

「ええ、面白いです」

カスミは向き直って笑わずに答えた。髪が以前より伸びて肩にかかっていた。艶があって一本一本張りのある直毛だった。石山は一瞬、カスミの濡れた髪が額に張り付いた様や深い臍を思い起こし、黒いカーディガンの腹の辺りをつい見てしまった。視線を上げると、カーディガンの隙間から豊かな胸がTシャツを突き上げているのが目に止まった。石山はカスミがいまだ自分の魅力に無自覚なのだろうかと森脇たちを気の毒に思った。

「仕事はどうですか。もう慣れた？」

「ええ、慣れてきました」

「森脇さん、よく教えてくれる？」

石山は森脇の執心を知っているだけに、余計なことを尋ねた。カスミは俯いて考え込み、暫くしてからこう答えた。

「はい。ただ、私は何年やってもああはなれないと思います」

生真面目な答えが返ってきて石山は面食らった。

「だってデザイナー志望なんでしょう。あなたは」

そんな必要ないでしょう、と続けたかった石山に、カスミは戸惑った視線を泳がせている。正確な言葉がないかと探しているようだ。

「そうでしたけど」

「今はもうやってないの？　もしやりたいのなら、うちにもバイトはあるかもしれないよ。ただし森脇さんには内緒だけど」

「なら、いいです」カスミはきっぱり断った。

「義理立てしてるの？」

「いえ、そういう事態が面倒なだけなんです」

「でも、デザインやりたくて東京に来たんでしょう」

「はい。でも、私の目的は東京で一人で暮らすことなんです」

石山は驚いた。挫折したというのでもなく、諦観を持ったというのでもなく、カスミには何か違う考えがあるのだとしかわからなかった。東京での一人暮らしが目的というほど、東京にさほどの魅力を感じない石山は首を捻った。しかし、「野生動物」という森脇の評を思い出し、それは核心を突いているのだということだけは直感した。カスミはここでサバイバルしたいのだ。そして、森脇は果たしてこの娘を飼い慣らせるだろうかと傍観者として面白く思ったのだった。

カスミが森脇と結婚する二、三年前、日曜の夕方に新宿で偶然出会ったことがあった。すでにカスミは、おおかたの社員の予想を裏切ってモリワキ製版になくてはならない存在になっていた。版下の管理を任され、道弘の不得手な経理や総務的な仕事を全部統《す》べていた。石山がたまに行くと、カスミはいつも机の前で熱心に何かを書いていたり、電話の応対に追われていたり、とりつく島もないほど忙しそうにしていた。サバイバルにとうとう成功したのだろう、と石山は急激にカスミに対する興味をなくしたのだった。雑踏の中で会ったカスミは、今まで見たこともない、魂が抜けたような表情をしている。石山は声をかけるのさえ躊躇《ためら》った。

『カスミちゃん』

カスミは持っていた紙袋で思わず顔を隠す仕草をした。放心していたところを見られて困惑したのだろうと石山は気付かない振りをした。が、思いがけず見てしまったカスミの寂しげな表情に石山は惹かれた。

『買い物？』

『はい。セーターを買ってしまって』

どんな色だろうと石山は紙袋の中身を想像した。カスミの質素ながらも気の利いた服装が気に入っていた。その日も男物らしい黒のいかついコートに赤いマフラーだけという装いなのに、マフラーの結び方が何とも言えず小粋だった。人と違う雰囲気がカスミの周囲には漂っている。

『どんな色』

『きれいな空色です。お金ないのに馬鹿みたい』

『空色？　似合うだろうな』

『そうでしょうか』

いつもと違うカスミの沈んだ声に、石山はセーターなど何枚でも買ってやると言いそうになり、辛うじて思い留まった。そんなことをすれば、この女に軽蔑されるだろうという予想は容易についた。それでも去りがたく、誘ってみた。

『よかったら食事でもどう』

石山は美大時代の同級生、典子と結婚を決めたばかりだった。だが、カスミという女にまた急に興味を抱いていた。自分が想像していた女ではない。いや、想像すら及ばないほど、自分がこれまで見知っていた女たちとは違っている。そういう予感があった。

カスミは素直について来たが、会話は弾まなかった。何かあったのだろうか。石山はカスミの内部を知りたくて余程尋ねてみようかと思ったが、カスミは全く心を開こうとしない。その後も何回か会ってはみたものの、結局、石山はカスミの強固な壁に跳ね返されただけだった。自分は生涯、カスミの魅力の秘密を知ることはできないだろう。諦めた石山は半年後に典子と予定通り結婚し、裕福さと安定とを約束された結婚生活に入ったのだった。

カスミとはモリワキ製版に出向く時しか会わなくなった。カスミが森脇と結婚すると聞いた時は、森脇にカスミが理解できるだろうかと案じた。カスミのあの不安げな顔を自分だけが知っているという密かな喜びでもあった。が、流れる日々の中でそれも忘れた。

二年前の四月、エレベーターの中で突然、カスミのほうから自分の胸に飛び込んで来た。あの驚きを、石山は一生忘れないだろう。目の色は八年前の新宿と同じだった。あてどない不安そうな目。心を開かなかったカスミが、今度は自分から鍵を渡そうとしたのだ。石山は戸惑った。しかし、どうしてもカスミの秘密を知り得なかったという残念な思いが、掘り当てた水脈のようにこんこんと溢れ出てきたのには自分でもびっくりしていた。

さっきカスミに、知り合う以前のあなたに興味はない、若い頃のあなたに魅力は感じなかった、と告げたのは多分嘘だった。おそらく、初めて会った時から好きだったのだ。それをはっきり言えないのは、カスミが新宿で、自分に心を開こうとはしなかったという出来事に傷付けられた気持ちが強くあるからかもしれない。また、そのために自分たちは余計な道を遠回りしたという思いがあるからだ。そう、自分はカスミほど率直ではない。

一本のビールを飲み終えた石山は、シャワーを浴びに風呂場に向かった。手にはカスミの使ったバスタオルを持っている。湯を出し、欠伸《あくび》を抑えながら明日の仕事の予定を考えると、憂鬱になった。仕事が面白く思えなかった。広告業界も不況で、無難なものしか求められない時代になった。デザイナーもそろそろ新旧交代の時期にさしかかっていた。自分はデザインという現場の職人でいたいのに、広告全体のプロジェクトを率いるディレクターという素質を求められる時代になりつつある。石山はそのずれが苦痛だった。心のどこかで会社を辞めたいと考え始めている。しかし、カスミにその願望を告げたら、仕事を辞めたいがために二人のことを言い訳に別荘を買ったと自分の愛情を疑うかもしれない。石山は急に自信をなくした。自分はカスミを完全に信頼している訳ではないかもしれない。では、自分はカスミに信頼されているだろうか。カスミが「大胆だわ」と言った一言。あれは本気ではない証拠ではあるまいか。疑心暗鬼。それも恋愛の陥穽《かんせい》には違いなかった。疑心は相手をすべて掌握したいのにしきれないから生まれてくる。嫉妬の一種だ、と石山は断じた。だからこそ、相手と会った途端、疑いは溶解し、疑いの深さの分だけ大きな歓喜に取って代わることもある。石山はカスミとの間に架けられた橋梁を想像した。それは二人が思っている以上に強く、衝撃にはよく撓《しな》るはずだった。これぐらいのことではびくともしないのに、自分はいったい何を怖がっているのだと石山は思った。

石山は自宅前でタクシーを停めた。典子の趣味で塀際に植えられたクチナシの花が闇に甘く香った。屋敷町も代替わりで広い庭が潰され、敷地内に小さな建て売り住宅が何棟も建つようになっていた。だが、石山の家は石山の代になっても、どうにか保たれている。

石山は施錠された玄関の鍵を開けた。玄関先の照明がついているだけで、他の部屋は真っ暗だった。時間を潰したおかげで、典子と話をしなくて済みそうだ。石山は板張りの床をわずかにみしみしいわせながら階段を登った。二階突き当たりの寝室のドアをそっと開けると、窓際のベッドが軋んだ。

「明かりつけないで、眩しいから」

典子が寝返りを打った。

石山は薄明かりの中で、服を着替え始める。典子がくんくんと匂いを嗅いだ。

「あなた、違う石鹼の匂いがする」

「さっき飲み屋で手を洗ったからだろう」

妻の嗅覚にどきっとしながら、石山はそんな典子が鬱陶しくて背を向ける。典子には何の不満もなかった。学生時代から気が合って、あちこち出かけ、一緒に遊んだ仲だ。趣味が良く、家事の手抜かりもない。下の息子が幼稚園に入ったと同時に、自分も小さなデザイン事務所で現役に復帰した。いつも身綺麗で若造りした典子は、いかにも女性誌に登場しそうな女だ。どんな男でも典子と結婚すれば、典子のような女を妻にしたことを幸せに思うだろう。休日には凝った料理を作り、子供たちには手作りのケーキを焼いてやる良い母親。週日は楽しそうに仕事に行き、デパートに寄って総菜を買い、ついでに自分の服や本を買ったり、気儘な生活を楽しんでいる妻。典子にはカスミのようにどこに行ってしまうかわからない不安はない。自分の知らない世界を隠してもいない。典子の世界はすべて、石山の身の周りにいる誰かとそっくり同じだった。あるいは雑誌の中にある、映画の中で見た、わかりやすい世界。自分は典子と暮らす限り、これからも予想される生き方しかできないだろう。先の読める生活。

愚かしさのない日々に魅力はあるだろうか。典子の選んだシトロエンよりカスミがいつも立っている地下鉄の連結部分。典子の洒落た白いオフィスより西陽が当たるモリワキ製版のブラインドの影。そのほうが豊かさを孕《はら》んでいる気がするのはどうしてだろう。比べてはいけないと自制しても湧き上がってくる小さな比較が石山を苦しめていた。

典子が掛け布団にくるまれた籠《こ》もった声で伝えた。

「今夜、和泉さんて人から電話あった」

和泉という老人は、支笏湖の別荘開発業者だった。決めて電話をすると言ったきりだったことを思い出し、石山は決断を迫られていると感じた。

「あなた、別荘買う気なの？　和泉さんが明日のお電話を待ってますって」

責める口調だった。一言の相談もないことが腹立たしいのだろう。石山はポロシャツを脱ぎながら弁明した。

「相談しようと思っていたんだけど支笏湖に出物があるんだよ。昔の国鉄の用地でね。支笏湖からちょっと入った山の中にあるんだけど、川が多くて釣りができる」

「遠いじゃない」

典子は何の関心も持っていなさそうだった。

「千歳から三十分だよ。近いさ」

「行くのにお金がかかるじゃない」

「滅多に行かないよ。だって、投資目的だから」

「投資ならいいじゃない。お父さんに聞いてみる？」

投資と聞いて典子はひとまず納得したらしかった。典子の父親は銀行に勤めていた。

「いや、いいよ」

石山は新しい下着とTシャツに着替えると、ベッドに横たわった。典子が身じろぎした。

「お風呂入らないの。酔ってる？」

どうだっていいじゃないか、そんなこと。石山は後ろめたさとともに、怒鳴りたくなる気持ちを抑える。以前は妻の嫌疑を受ける度に必死に弁明していたものだが、最近は面倒になった。わかるならわかってもいい、とまで思い詰めている。それほどカスミが好きだった。カスミとでなければ生きていけない。やはり別荘を手に入れよう、と石山は決心した。

「なあ、別荘買ったら夏にみんなで行かないか」

「いいけど」典子は眠そうな声を出した。

「森脇さんの一家も誘ってさ」

「どうして」

「森脇さんに釣りを教えてくれって頼まれてるんだよ」

石山の嘘に典子は寝息で応えた。石山はほっとしながら堅く目を閉じ、電話をくれた和泉正義の風貌を思い出そうとした。

先月、石山が札幌出張した際に別荘の広告を見て、現地まで出向いた時のことだった。和泉正義が自ら四駆を運転して、支笏湖泉郷別荘地の案内をしてくれたのだった。和泉は別荘地オーナーで七十歳。自身も妻と一緒に別荘地に住まっていると言っていた。髪は白くなっているが、伸ばした背筋や荒々しい挙措にまだ精悍《せいかん》さが漂い、老人というより年月を経た男を感じさせた。和泉は石山が帰京する時、千歳空港まで送ってくれたのだ。

『釣りをなさるんですか。ルアーですか』

『はい。そのほうが好きですね』

『私はね、この車で出かけてね。川を見てここは釣れそうだと思ったらテント張って寝ますよ。だから、いつもテントは載せている』

『いいですねえ。夢だなあ』

『夢でしょうね』和泉は笑い、石山を見た。『そうだ。あなた、ハンティングはしないのですか。するなら、今度お誘いしましょう』

いいえ、と首を振る石山に和泉は言った。

『私はエゾシカ猟やるんですよ。解禁前でも撃てるところがありましてね。白糠町《しらぬかちょう》ってところなんですが。エゾシカは害獣ですからね、獲り放題ですよ。ハンターたちが四駆に何頭も獲物積むんでね。流れる血で道路が真っ赤になるほどです』

この車にも積んだのかと、思わず石山は振り向いてリアシートを眺めた。

『面白いですか』

『そら、面白いですよ』

『殺生はどうもね』

石山は原野を走るアスファルトの道路の脇に目を遣った。植林したらしく、まるで柱列のように不自然にまっすぐな樺《かば》の木が、二百メートルは並んでいるのを奇異な思いで眺めた。和泉の話の内容とは裏腹に人工的に思えたのだった。和泉が太く掠《かす》れた声で問うた。

『あなた、釣ったらリリースするんですか』

『はい、します』

『どうせ傷だらけで死んでしまうんだ。それも殺生でしょう。北海道の男はそんな自分を誤魔化すようなことは絶対にしませんよ。きっと、どこかに狩猟民族の血が流れているんですな』

石山が口を噤むと、和泉は、ほら、と渡りかけた橋の下の川を指さした。いかにもヤマメがいそうな川がゆったりと水を湛《たた》えて流れていた。

『五時頃に来てご覧なさい。老いも若きも男も女も釣り竿持って集まって来ますから。夕飯のおかず釣りにね』

そんな生活ができれば自分も変わっていくかもしれない。石山は和泉の「狩猟民族」という言葉に惹かれていた。カスミは野生動物だと森脇の言ったことが、どこか心の隅に引っかかっているからだった。カスミは自分の知らないものを持っている。自分が狩猟民族ではないから知り得ない何か。カスミの生まれた地に自分が一軒の家を持つ。北海道という土地にこだわったのはそのせいもあった。馬鹿な男だと石山は闇の中で自分を笑った。

第二章　水の気配

1

来るべきところに来ているのか。自分の意志で北海道にまた戻って来たというのに、何かに引きずられている気がするのはなぜだろう。石山に引きずられているというのでもなかった。石山は磁力があるが、他人を従わせようとするほど強い意志を持っている男ではない。自分が嫌だと言えば決して無理強いはしない。では、二人の会いたいという情熱に引きずられてきたのか。それは自分に似合っていない。カスミは自身の決めたことなのに、座り心地の悪い椅子に腰掛けているような落ち着かなさを感じ続けていた。こういう時は決まって何か悪いことが起きる。予感はカスミに生来備わった勘だった。カスミは用心深く辺りを見回した。

本州より荒々しく、原始から生えていたかの如く大味な樹木がてんでに生い茂っている。ミズナラ、シナノキ、トドマツ。国立公園のせいか、道路沿いの木には名称を書いた板が律儀に貼ってある。カタカナを覚えたばかりの有香が声に出してひとつひとつ読み上げていたが、飽きて眠ってしまった。森の奥を覗くと仄暗く、陽の当たらない地面も樹木も苔《こけ》と黒い濡れた土の色を有して互いに溶け込んでしまっている。

　パジェロを運転している石山が黙って前方を指さした。支笏湖が忽然と行く手に姿を現した。カスミと道弘はほぼ同時に湖面を見た。水の色は灰色に濁って空の色を全く映していなかった。波はなく、まるで水ではない違う物質が大量に溜まって盛り上がっているかのようだ。その想像を絶する量に圧倒され、カスミは息苦しさを覚えた。右頬で感じた暗い海が迫ってくる気配を思い出したのだった。カスミは湖面を見ようとはせず、丸い滑っこい石が転がっている水際ばかりに視線を泳がせた。

　パジェロは行楽の車に尾《つ》いて、ゆっくり湖畔に沿って半周して行く。再び山道に入る。やがて右手にひび割れたアスファルト舗装の細い道。その上に錆を浮かせたアーチ型の白い看板が掛かっているのが見えた。「泉郷別荘地」と大書され、下には「居住者以外立ち入り禁止」とある。小さな山ひとつが別荘地なのだ。

「別荘に行くにはここから登るんだが、この道をまっすぐ行くと大崎温泉という温泉に出るんだ。昔はこの道がなくてあっちの湖畔から船で渡っていたらしい」

　石山が道弘に説明している。

「国立公園なのに別荘地があるのか」

さほど興味がなさそうに道弘が問うた。

「変だろう。国鉄の所有地だったんだそうだ。払い下げ跡地だから、支笏湖でも別荘地はここだけだって話だよ」

へえ、と道弘は縁がないとばかりに皮肉を帯びた相槌を打った。有香と梨紗の二人の娘は折り重なって完全に寝入っていた。山の中にある大きな湖を見て、ようやく目的を果たしたかのように車内の空気が緩んでいた。バックミラー越しに石山と目が合う。『会いたかった』。急《せ》いた石山の目は余裕のないことを告げている。今すぐ抱き合いたい、と。道弘が振り向いた。

「懐かしいだろう」

カスミは驚いて夫の顔を見る。石山が恋しいので、あてこすられたのかと錯覚したのだった。

「何が」

「何がって北海道に決まってるじゃない」

そうねえ、と動悸を抑えて曖昧に答え、カスミは改めて窓の外を眺めた。今度は石山が尋ねた。

「カスミさん、北海道なんだよね。どこだっけ」

「留萌《るもい》郡というところです。海辺の小さな村」

「行ってみたいな。きっといいだろうな」石山が前を向いたまま言った。

「東京のほうがいいですよ」

カスミは笑う。自分の気持ちは誰にも理解できないだろうという諦めのもとに。

「東京のどこがいいの」石山がシフトダウンした。「人は多いし、空気は汚いし」

「そういえば、今朝の排気ガス酷かったな」

道弘がぽつんと言った。確かに、今朝ほど排気ガスに覆われていると感じた朝は珍しかった。どんより煙って蒸し暑く、窓を閉め切ってエアコンをつけても、外から亜硫酸ガスの臭いが染み込んでくる気がしたほどだ。カスミは開け放したパジェロの窓から入って来る湿り気を帯びた冷たい山の空気を嗅いだ。今朝の道弘との会話を思い出していた。

「荷物はこれだけかい」

道弘はカスミが昨夜詰めたスーツケースを指さした。カスミは頷いた。底には、二人の娘の衣類に混じって、こっそり買った新しい下着を何枚も忍ばせてある。その荷物を道弘に持たせる後ろめたさ。家族を裏切るのはいつも自分だった。道弘は何も気付かぬ様子でスーツケースとデパートの紙袋を玄関先まで運んだ。紙袋には、自身で選んで買ってきた典子への手土産であるワインが二本入っている。

「よくわからないから高いのを買ってきちゃったよ。こっちが接待しなくちゃならないのに立場ないよ」

道弘は北海道行きの話が石山から出た時から困惑し、典子に気を遣っていた。

「いいんじゃないの。石山さんも恐縮してたじゃない。交通費がかかって申し訳ないって」

「だったら何で招《よ》ぶんだ？」道弘は首を傾げた。「なあ、どうしてだと思う。普通、逆だろう」

「そうかしら」近頃の道弘は愚痴っぽかった。カスミは目を合わせないで答える。「あなたと仲がいいからでしょう」

「そうかねえ。石山さんは最近、俺に妙に気を遣う」

「あなたがいつもぴりぴりしてるからよ。誰だって気を遣うわ」

こんな時のカスミは自分でも驚くほどの冷酷さを纏《まと》う。自身が原因であるにも拘《かかわ》らず、妻の変化も見抜けない道弘の鈍感さが嫌いなのだった。

「不況だからなあ」

不況も原因のひとつではあるが、時代の趨勢《すうせい》についていけない道弘の頑固な職人気質も問題なのだ。カスミはそのことについては黙っている。

「北海道っていえば」道弘はカスミのほうを見た。「お前久しぶりだろう」

「高校卒業以来かしら」

「たまには顔出してやれよ」

そうね、とカスミは笑って誤魔化した。道弘には、「両親とうまくいってないから家出同然で東京に出て、その後音信不通だ」と告げてある。道弘が納得したのかどうかはわからないが、何か事情があるのだと悟ったらしく、問い質してくることもなかった。結婚に際しては、役場に直接、戸籍謄本を請求した。記載を辿って両親がカスミの居場所を突き止めることは可能だが、まだ何も起きない。カスミはそれをいいことに普段は忘れて暮らしている。あくまでも身勝手なのは自分のほうだった。もし、会ってみたい人間がいるとしたら、それは両親ではなく、あの古内という男だった。名刺はとうに捨ててしまったが、残念とも思わなくなったのは時間が経ったせいだろう。今、カスミの心に満々と溢れて滴り落ちているのは石山への思慕だった。

「お母さん、昔、北海道にいたことあるの？」

横で話を聞いていた有香がカスミの腕を軽く叩いた。まるで母親の気を引くような仕草が可愛くて、カスミは有香の柔らかな頬を両手で挟んだ。有香はそうされるのが嬉しくて堪らないという様子でくすぐったそうに笑う。五歳の有香はカスミの気に入りだった。

「ないわよ」

「嘘。いたんでしょう」

「いないったら」

おかっぱ頭の両脇をピンで留めた有香は、幼い頃の自分を見ているようだ。カスミはその顔に見入った。子供は忘れていた時間を連れて来る。有香は納得できないのか、靴を履きかけた道弘のところまで聞きに行ってしまった。

「お父さん、お母さんは北海道にいたことあるの？」

「さあ、知らないな」道弘はとぼけている。

「だって、お祖父ちゃんやお祖母ちゃんはお父さんのほうしかいないじゃない」

「お母さんは一人っきりなんだよ」

道弘はその部分だけ真実を伝えてくれた。捨てた故郷は、もう二度と行くことはない現実味のない場所だった。そこで暮らしていたことさえ、今はもう夢の中の出来事のようだ。カスミは話題を打ち切るために二人の子供を急かしたのだった。

機中での有香は機嫌が悪かった。カスミは眠り込んで重いゴム人形のようにぐんにゃりした梨紗を抱いたまま、不自由な体勢から有香に外を見せようとした。角の丸い長四角の窓から、青い空と真っ白な雲海が見えた。

「ほら、雲の海が見える。綺麗だから見て。飛行機に乗るの、あんなに楽しみにしてたじゃない」

カスミがいくら言っても、有香はちらと一瞥《いちべつ》しただけで、年齢の割には小柄な体を座席に埋めるようにして俯いたきりだった。道中からビデオを回すと約束していた道弘は、長期休暇を取るために徹夜続きで、搭乗した途端、眠り呆けていた。そのせいで気分が乗らないのかもしれないとカスミは思った。

「お父さんは疲れてるのよ。ビデオ、後で撮ろうね」

「そんなことはどうでもいいの」

有香は大人っぽい物言いをした。

「じゃ、どうして」

カスミは娘の機嫌を取るのを面倒に思いながら尋ねた。すでに自分の心は先に行った石山と共にある。きつすぎる空調の冷気に鳥肌が立った。

「そうじゃないの」有香は首を振った。「行くのが何となく嫌なの」

「楽しいわよ。近くに支笏湖っていう大きな湖があってね、そこでボート漕ぐんだって。瑠璃子ちゃんと龍平君ていうお友達も待ってるわよ。瑠璃子ちゃんは七歳で龍平君は四歳。ちょうどいいでしょう」

有香は騙されるものかという具合に唇を引き結び、答えなかった。朝のはしゃぎぶりはどこに消えたのか。今、幼い娘を沈ませているものは何か。自分が故郷のことで嘘を吐いたせいだろうか。それとも、カスミと石山の密かな計画に勘付いているのだろうか。

それはあり得ない。カスミは身内の情熱やそれゆえに生まれる疑念を鎮めるように冷え切った肌を擦り続けていた。もう一度外を眺めると、雲海の切れ間から真っ黒な山肌が意外に近く覗けていた。カスミの背に冷たいものが走った。輝かしい雲の下に黒い山が潜んでいるという発見に怯えたためだった。俄《にわか》に、家出した夜の、荒々しい海鳴りと原野を渡る風の音の記憶が蘇った。あれを、捨ててきた世界の最後の抵抗と思ったのは間違いで、本当はこれから起きる出来事の予兆なのかもしれない。そんな訳のわからない不安が一瞬頭を掠《かす》めた。しかし、石山が自分を待っている。石山との逢瀬こそが今の「脱出」ではなかったのか。

石山の背中が目の前にある。カスミは石山の灰色のTシャツに覆われた肉体を想像している。そして、その肉体に組み敷かれる自分のことも。他人の肉体を自分の肉体の中に入れるという紛れもない事実。肉体の接合を通してしかわかり合えないもの。それだけが、これから起きるかもしれない困難を排していける唯一の拠り所なのだ、とカスミは思うのだった。典子と相対することがカスミの気を重く沈めている。

パジェロはアーチをくぐり、対向車と擦れ違えそうもない狭い山道を登り始めた。平屋建ての事務所が見えてきた。「泉郷別荘管理事務所」と小さな看板が出ていて、周囲には黄色いコガネギクや丈の高いキタノコギリソウ、オミナエシに似たヒヨドリバナなどが生い茂っていた。カスミは中学の校舎が建つ丘陵を思い出し、懐かしい北海道の花々に目を奪われた。道弘は裏庭の物干し竿にシーツやタオルなどがきちんと干されているのに気付いて石山に尋ねている。

「あそこはいつも誰かいるのかい」

「水島さんて管理人が住んでるんだ。自衛官上がりでね。まあ、やたらといろんなことを知ってるよ。釣りのポイントも教えてもらった」

管理事務所を過ぎると道路は急坂になる。道の両脇は、鬱蒼とした原生林だ。上に登るに従って、森の芳香と山の放つ湿気が強くなる。その噎《む》せ返る匂いで車の中も息が詰まりそうだった。

「別荘は何軒あるんだ」

「七軒ある。今はうちともう一軒だけだって。ああ、あれがここのオーナーの家だ。和泉さんていうんだ。だから、泉郷さ」

管理事務所から百メートルほど上がったところに赤い屋根の大きな住宅が建っていた。道路の傾斜に合わせたなだらかな芝生が少しあり、周囲にヒマワリやコスモスなどの花々が咲き乱れている。寒冷地の別荘らしく玄関も窓も二重構造で堅牢だが、スイス辺りの絵葉書に出てきそうな瀟洒《しようしや》な造りだった。家の横はガレージになっており、古くてごつい四輪駆動車が一台ある。

「冬はどうやって暮らすんだろう。車がなきゃ死ぬね」

道弘が他人事のようにのんびりつぶやく。

「ここは凍って寒いそうだ。冬はどうしようもないって」

「そんなところに別荘とは贅沢だね、石山さん」

道弘は呆れた口調で言ったが、石山は真面目に答えた。

「いや、住んで住めないことはないと思ってるんだ。現に和泉さんは住んでるしさ」

「仕事どうすんの」

「仕事はフリーにでもなって何とかするよ」

「デザイナーはいいなあ。自由で」道弘が羨ましそうに笑う。

道弘の言葉に、石山が複雑な笑みを浮かべてバックミラー越しにカスミを見た。石山の今言った計画には、おそらく自分の存在が根底にあるのだろう。嬉しく感じる反面、北海道の厳しい真冬を知っているカスミには、お伽噺《とぎばなし》も同然に思えないでもない。

カスミの心にはこの土地が醸し出す漠然とした不安が張り付き始めている。あの大きな湖のせいに違いない。故郷の村に漂っていたのと同じ、水の気配を感じたからだとカスミは思う。カスミにとって、水の気配は豊かなものではない。決して抗うことのできない荒涼さの象徴だった。しかし、石山にはカスミのこの不安は伝わらない。一心同体なはずの石山と自分との間のわずかなずれ。そんなもどかしさと、東京を離れるのではなかった、帰って来るのではなかった、という大きな後悔があった。

ススキノで飲み屋のチェーン店を経営しているという豊川家を過ぎると、道のどん詰まりが見えてきた。それが山のてっぺんだった。管理事務所からは二百メートル以上山道を登って来ている。車が数台停められそうな開けた場所があって、紺のジープがあった。豊川家の車らしい。

「ここが駐車場になってるのか」と、道弘。

「Uターンする場所でもあるんだ。道は二台擦れ違えないからさ」

右手は勾配のある斜面になっており、コンクリートの急な階段がついていた。その上に石山の別荘は建っていた。二階建てで、丸太を多用した北欧風の造り。家の前は和泉家と同様、芝草を敷いた小さな庭になっていた。白いブランコから、少女が揺られながらこちらを見下ろしている。石山の長女、瑠璃子だろう。カスミが手を振ると、瑠璃子は嬉しそうに飛び降りて階段のほうに回って来た。

「さあ、着いたよ。遠慮なくゆっくりしてってくれ」

典子が二人の子供を伴って現れた。インド更紗《さらさ》のロングスカートに色の合ったTシャツという優雅な形《なり》をしている。会うのは数年ぶりだ。カスミは唾を飲む。典子には自分たちのことを見破られてはならない。かといって敗北感は味わいたくないし、申し訳なさを感じる相手でもある。それらがたちまち心の中で一緒くたになってカスミを疲弊させた。気兼ねはカスミの最も苦手なものだった。心がすぐに解き放たれたいと自由の方向に向かっていってしまう。石山は妻の横ににこやかに立った。見習わねばと苦しい笑顔を見せた時、典子が人懐《ひとなつ》こい表情でカスミたちを労った。機先を制された思いがあった。

「いらっしゃい。お久しぶりですね」

「お招きいただいてありがとうございます」道弘が堅苦しい挨拶を返した。「石山さんにはお世話になっておりますのに、図々しくお邪魔して申し訳ありません」

「いえ、こちらこそ。石山がいつもお世話になっています。辺鄙《へんぴ》なところですが、どうぞごゆっくり。子供たちもお会いするのを楽しみにしてたんですよ」

典子の言葉は耳に心地よい音楽のように流れ込む。石山の子供たちは黙りこくって初対面の来客を眺めている。七歳の瑠璃子は、がっちりした体軀に大きな目。石山によく似た顔立ちをしている。反対に四歳の龍平は小柄で色白。おとなしそうで額が典子似だった。

「いいところですね」

カスミは少し緊張気味の子供たちの手を引いて急な石段を登った。

「そうですか。買い物も大変だし、不便でしょうがないんですよ。ま、石山の釣り道楽と思って諦めましたけど、私はもう来ないと思います。皆さんでお使いください」

典子は石山を睨むような表情をして冗談めかして言った。道弘が愛想笑いをする。

「そんな、勿体ないですよ」

「山歩きしようにも森には道がなくて入れないし、車がなければどこにも行けないし。することなくて戸惑います。私は札幌のほうが好き」

『ていうことは、女房も森脇さんも来られないってことだろう』と言った石山の言葉が蘇った。すべて最初の思惑通りで怖いくらいだった。

「お子さんにはいいんじゃないですか」道弘が取りなすように言った。

「ええ。だけど、別荘地もある程度設備が整っていたほうがいいじゃないですか。テニスコートとか、プールとか、コンビニとかね」

石山は苦笑している。

「いいじゃないか、何もなくてさ。俺は気持ちいいけど」

「あなたは釣りがあるからいいのよ」

「きみもやればいいのに。面白いよ」

「あらあら、何を釣るのかしら。晩のおかず？　毎晩チップじゃ飽きるわ」

「そんなに釣れやしないよ。自信過剰なんだから」

仲の良い夫婦の会話だった。カスミは居心地が悪い。道弘も照れて湖の方向を眺めている。しかし、支笏湖は高い樹木に阻まれてここからは見えない。有香と梨紗はさっそく庭のブランコに駆け寄っていた。石山の子供たちが、それを不快そうに眺め、抗議するように典子の顔を見上げている。カスミは、二人に注意するためその場を離れられたことにほっとしている。

「そうだ。森脇さん、昼御飯は食べたかい」

「ああ、適当に」

道弘は遠慮して嘘を吐いた。湖畔まで降りてもレストハウスの食堂しかないし、よく知らない他人の台所で昼食を作るのも面倒だ。子供たちは食が細いから、むしろその分遊べると喜ぶだろう。カスミは道弘の返事を聞いて胸を撫でおろした。

「何もないけどサンドイッチ用意したんです。食べてください」

典子がそつなく勧めた。

「いや、結構ですから」

石山が道弘の遠慮をさりげなく無視して、夕食の提案をした。

「夜は湖畔の店でジンギスカンでも食おうよ。ちょっと休んでよ」

「そうしようか」道弘は根負けして、ちらとカスミを窺った。「それでいいかい」

「ええ」

「じゃ、ビールでも飲まないか」

カスミの返事を聞いて男たちは荷物を持って別荘に入って行った。カスミは行き場がなくて、まだ旅装も解かずに典子の横に立っていた。庭で遊び始めた子供たちのところに行こうかと迷い、それも典子に失礼かとうろうろしている。カスミは不器用な自分を笑いたくなる。人慣れした典子の態度に圧倒されていた。午後の陽射しは透明で眩しい。典子は光に目を細めてカスミの顔を見て笑った。

「ほんとにお久しぶりですよね。お元気でした？」

「ええ、たまにはうちにもいらしてください」

「すみません。いつも石山がお邪魔しているようで」

典子は丁寧にお辞儀した。カスミは気まずく沈黙する。一瞬、典子は先程の笑みを忘れたのか、虚ろな眼差しを森に向けた。石山のことだ、とカスミは直感した。ここにいる自分こそが典子を苦しめている張本人なのだと思うと苦しかった。しかし、実際に典子と相対すると、石山と子を生《な》したということ、そして石山と暮らしていること、すべてが羨ましく思える一方で、同じ男を好きだという連帯感のようなものも密かに湧いてくるのが妙だった。

「カスミさん、北海道に来たことあります？」突然、典子が尋ねた。

「ええ、あります」

ここで生まれ育ったのだ、とカスミはまだ言えない。

「私、ここ、何だか気持ちが悪くて」

「どういうことですか」

「うまく言えないんだけど、草の葉っぱとか大きくて気味が悪いでしょう。原始時代に連れて来られたみたいな気がして、その森の向こうから恐竜の頭がぽこっと出てきそう」典子は馬鹿なことを言ってしまったというように照れ笑いをした。「あと支笏湖ね。水島さんに聞いたんですけど、あそこは火山湖だから湖底に木の枝があってね、透明度が高い時は白い骨のように見えるのですって。動物の死骸なんかは枝に引っかかって浮かばないとか聞きました。ちょっと気味が悪いわよね」

典子も自分と同じ心持ちになったのだ。石山も道弘も気付かないのに、典子と自分だけが似たものに感応する。それが不思議だった。

「余計な話しちゃったわね。カスミさん、お忙しいのでしょう。おたくの業界も大変なんですってね」

典子は年上の余裕を感じさせる言い方をした。

「ええ、うちは零細ですから」

「どこも不景気ですものね」

典子は当たり障りのない返事をした。踏み込んだ話はしたくないらしい。というより、製版業にさほど興味がないのだろう。

「カスミさん、何か作られるんでしたら遠慮なくうちの食品使ってくださいね。お米も卵も沢山ありますから。もしお嫌じゃなかったら、私の作ったもの食べてちょうだい」

「すみません」

カスミは貧乏な学生のように俯く。子供も二人いるのに、典子の前では何もできない未熟な若者になった気がした。裏切りのために来たのに石山の妻がこうして親切にしてくれる。果たして、石山には自分の困惑がわかっているのだろうか。これも「ずれ」のひとつには違いなかった。


午後には子供たち同士もすっかり打ち解けて、庭で遊びに夢中だった。この別荘は一番奥にあるため、車が入ってくる心配がない。周囲は鬱蒼とした森なので、迷い込む道もない。石の階段さえ注意していれば、幼児でも放っておいて大丈夫だった。

別荘の構造は、一階に風呂場、台所と玄関脇に納戸代わりの四畳半、天井まで吹き抜けになっている大きな居間があり、二階に大きな寝室が三つあった。そのひとつをカスミたちが借り受けた。一息入れた後、大人たちは居間に集まった。家具は飾り気のないものばかりだったが、暖炉や布張りの大きなソファもあった。暖炉の上には白い花をつけた野草が大壺にたっぷり活《い》けられ、美しい木の枝や木の葉などが飾られていた。典子はクラブハウスサンドを勧め、クルミの入ったサラダを取り分けている。カスミの出る幕はない。

「ここは羆《ひぐま》なんか来ないだろうね」

北海道は初めての道弘が、庭の子供たちを眺めながら心配そうな声を出す。石山が缶ビールを開けて道弘に勧めた。

「水島さんに聞いたんだけど、出ることは出るそうだ。だけど、ここまで降りてこないと言っていた。大丈夫だろう」

北海道に住む者なら誰しも、山に入る時は羆を心配する。カスミがそんなことに思いを巡らせて視線を宙に浮かせていると、石山がテーブルの向こうから自分を見ているのに気が付いた。目を上げ、ほんの一瞬視線を絡み合わせる。それだけで動悸が激しくなるほど喜びを感じた。石山のカスミへの眼差しは他の人間に対する時より柔らかく、時には男の目になる。自分もおそらくそうなのだろう。カスミは自分たちから濃密な感情が滴っているのではないかと心配になり、思わず道弘や典子の顔を盗み見た。二人は羆の話を続けている。

「羆って泳ぐんですってね」

「支笏湖でボートに乗ってて羆が泳いできたら怖いよね」

「まさか」

典子は楽しげな表情で笑った。道弘は典子が気さくなので安心したのだろう。気に入った様子で典子とばかり話している。典子は道弘の相手をしながら、テーブルクロスの上にこぼれたパン屑を両手で集めては、せっせと灰皿に入れていた。男たちがタバコを消すと、その度にパン屑が燃えて、トーストの匂いが一瞬だけ部屋に満ちた。家族が集う温かさというものを承知している女だった。しかも、典子は石山の交友関係に巻き込まれたことを面倒に思っていないらしい。年齢も環境も暮らしぶりも明らかに自分とは違うのに、そんなことをおくびにも出さない賢さがある。道弘が持ってきたワインも大層喜んでくれた。

「こんな高いワイン買ったことないわ。嬉しい」

カスミは結婚式で見かけた典子の友人たちの洒脱な風貌を思い出した。金と時間のかかった趣味と服装。若い頃、空想した生活がそこにはあった。自分の結婚相手が金持ちだったら、という類の幼稚な空想。たとえば、庭に好きな草花を植えて、海岸で拾った石を置く。故郷の浜に転がっているような脆《もろ》い砂岩ではなく、南の島の白い珊瑚で出来た堅い石だ。家の中には庭で摘んだ花を活ける。そして、高価ななめし革の椅子や艶のある木で作られたテーブルなど好きな家具を選ぶ。中近東で織られた絨毯。形と色の気に入った車。すべて夢だった。故郷で暮らした生活が夢の世界に感じられるのと同様、それらの想像も皆、夢の世界に過ぎないのだった。カスミにはその間にある現実の暮らししかない。だが、この世の中には、現実の暮らしがカスミの夢と一致している人間がいるのだ。一方に両親があの浜にいて、もう一方には典子のような人間がいるということ。それが純粋な驚きだった。子供っぽいだろうか。カスミは典子のさりげない銀の腕輪や、手入れのいい美しい膚を眺める。

典子にしてみれば、自分も道弘もさして興味の持てない相手に違いなかった。服装ひとつとっても、道弘は地味なポロシャツに安物のズボン、自分は結婚前から着ている男物のシャツにチノパン、というスーパーに買い物にでも行きそうな服装。オペラも絵画も小説も知らず、手形の決済しか考えられない生活。子供たちの衣服も歴然と違う。有香や梨紗が近所から貰ったお下がりのTシャツ姿なのに対し、瑠璃子は典子と揃いのインド更紗のシンプルなサンドレスを着ていて、いかにも洒落ている。だが、とカスミは思う。あなたが私の村で生まれたら、あなたも私みたいになる。そう確信しながら、カスミは典子の整った横顔を眺める。典子に嫉妬したり、その境遇を羨む気持ちは毛頭なかった。しかし、やはりあの疑問が夏の雲のように心の隅から湧いてくるのだった。どうしてこんな素敵な妻がいるのに石山は自分のような女を愛すのだろう、という疑問。負い目でも劣等感でもない。ただ、人間の不可思議さとでもいうものがカスミを捉え、離さないのだった。自分をぼんやり見ているカスミの視線に気が付いた典子が、優しい目で見返した。

「カスミさん、どうしたの。疲れた？」

「いいえ。大丈夫です」とカスミは首を振る。

「ぼうっとしてる」典子は立ち上がってグラスに氷水を入れてくれた。「冷たいお水いかが」

庭先で騒ぎが起きている。何事かと見ると、子供たちが皆で一人の老人を連れてきた。

「お客さんだよ」

「和泉でございます」

色褪せた釣り用ベストを羽織った白髪の男が、頬を緩めずに両手を膝に置いて身を屈《かが》めるいかめしい挨拶をした。身中に面倒な虫がいて先から気になって仕方がないといった、あまり気のりのしない様子だった。気圧《けお》されて、一同はしんとした。姿勢がよく、陽に灼けた太い首に深い皺が幾重にも刻まれている。それが揺るぎない樹木のような印象を和泉に与えていた。

「わざわざすみません。こちらから伺おうと思ってたんですが」

石山が恐縮して立ち上がった。和泉は節の目立つ大きな手で制した。

「いや。今、豊川さんの庭先で犬が死んでるというので水島と見に来たのです。そのついでと言っては何ですが、せっかく上がって来たからにはご挨拶をと思いましてね」

「この辺り、野犬がいるんですかね」道弘が驚いた顔をした。

「いえ、おりません」

和泉は首を振ってにべもなく否定した。そして、カスミの目を見て今度は丁寧に頭を下げた。

「奥さん、この度はどうも。こんなてっぺんを買っていただきまして」

カスミはすぐには反応できなかった。石山の横にはいかにも妻然とした典子が控えめに座っていたし、自分と道弘は並んでいたから間違うはずはなかった。和泉の勘違いには何か意図があるのかと思ったからだった。石山も動揺して、一瞬息を飲んでいる。典子がおかしそうに笑いだした。

「和泉さん、私が石山の妻です」

「おや、そうですか」

和泉は謝るでもなく、典子とカスミの顔を見比べて微かに首を捻った。自分が間違ったことが不思議でならないといった面持ちだった。石山が慌てて言った。

「女房の典子です。あちらは森脇さんご夫婦で」

「どうも」

和泉は道弘に軽く会釈した。道弘は狐につままれたような表情をしている。場の雰囲気が微妙に変わった。典子が取りなすように尋ねた。

「和泉さん、その犬は結局どこの犬だったんですか」

「シーズン終わりに捨てられた猟犬ですな。あるいは道に迷ったか。しかし、ここまで登って来たんだ、あまり利口じゃないです。湖畔なら残飯があるし、観光客が連れ帰ることだってある」

「何で死んだんでしょうね」

「餓死です」

「可哀相だこと」

「哀れだな」

典子も道弘も顔を歪めたが、カスミは何も感じなかった。そういう犬は死んでいく運命なのだ。子供の頃、海岸で野良犬と遊んだ思い出が蘇った。犬たちはカスミの家から出る残飯を掠めて生きていた。それを知っているから、カスミにだけは吠えなかったものだ。石山が和泉に上がるように勧めた。

「和泉さん、ご一緒にどうですか」

「いや、結構です」和泉ははっきり拒絶の手を挙げ、庭に向かって声をかけた。「おい、水島。ご挨拶せんか」

いつからそこにいたのか、中年男が庭から顔を出した。子供好きらしく、龍平と手を繋いでいる。

「どうも。水島です」

「石山さんはご承知でしょうが、ここの管理人ですので、何かありましたらお申し付けください」

水島は禿頭のごつい体付きをした中年男で、作業服にゴム長という格好をしている。役者のように目鼻立ちのはっきりした立派な顔立ちをしていて、声も朗々として大きい。だが、目だけが柔和でアンバランスだった。典子が一瞬不快な顔をした。犬の死体を始末した手で子供を触られるのが嫌だったに違いない。

「私はこれで」

和泉と水島があっけなく帰った途端、典子が大きな溜息を吐いた。

「すみません。何だか疲れちゃったわ。ちょっとお昼寝してきていいかしら」

「子供は俺が見てる」

「お皿は洗っておきます」とカスミ。

典子はすみません、と言いながら重い足取りで二階に登って行った。カスミは道弘の腕に触れた。

「あなたも疲れたんじゃない。ずっと徹夜だもの。少し横になったら」

いいかな、と道弘は椅子から立ち上がり、腰を伸ばした。カスミも石山も期待を込めて、道弘が視界から消えるのを待っている。自分たちは悪魔だとカスミは思う。互いの配偶者を裏切り、貶《おとし》め、傷付ける。しかし、抗うことなどできなかった。暫くの間、カスミと石山は麻痺したように向き合って座っていた。

「ママは？」

いきなり庭から瑠璃子が中を覗いた。石山が唾を飲み込み、何事もない振りをしてタバコに火をつけた。

「ママはお昼寝」

「またか」

瑠璃子は関心なさそうに言い捨て、遊びの輪に戻って行く。庭では、四人が地面に穴を穿《うが》ち、そこに水を流す遊びを再開していた。石山がカスミを見た。

「納戸に行く？」

「もうちょっと経ってから」

「我慢できない」

「じゃ、先に行って」

納戸でこっそり会おうと別荘に来る前から決めていた。石山が何気ない素振りで玄関の横にある四畳半に向かう。カスミは急いで台所で洗い物を済ませた。二階の物音に耳を澄まし、何も聞こえないことを確認してから石山の後を追った。大胆さに脚が小刻みに震えた。小さくノックすると、石山が開けてすぐにカスミを抱き寄せた。高窓がひとつ付いているだけの陽の当たらない小さな洋室で、黴臭《かびくさ》い布団やクッションが乱雑に積み重ねてある。その奥にマットレスだけの幅の狭いベッドがあった。

「会いたかった」

カスミは気もそぞろに廊下のほうを窺う。石山は性急だった。カスミを抱き寄せてパンツのジッパーに手を掛けた。

「やっぱりやめて。心配だから」

そう言いながらも、カスミは石山の手を導いてシャツの下から自身の胸に触らせた。興奮していた。家族が同じ屋根の下にいるからか。それとも、和泉に石山の妻と間違えられて額に印を付けられたような気がしているからか。どちらでもよかった。カスミは自分でも驚くほど乱れている。息が弾む。声を抑え、石山にしがみつく。カスミの興奮は石山にも伝わり、いつもより唇を強く嚙まれた。ごめん、と石山が掠れた声で謝った。

「血が出たかな」

そんなことはもうどうでもいい、壊してくれ、と思う自分自身がカスミには一番怖かった。カスミは唇を離して頼んだ。

「ねえ、行きましょう」

石山はカスミの翻心にがっかりしたように腕を解《ほど》いた。

「わかった。俺が先に出る」

石山は唇を手の甲で拭った。ドアを開け、廊下に出る。やがて、大丈夫だという囁き声にカスミも続いて出た。出発前の打ち合わせでは、どちらかがすぐ外に出て散歩に出かけた振りをすることになっている。カスミは廊下から、一瞬、二階を仰いだ。道弘の姿も、典子の影もない。石山はすでにサンダルを突っかけて外に出ていた。カスミは台所に向かった。食器棚のガラスに映った自分の顔を見ると、嚙まれた唇が少し腫れている。カスミは水道の水をグラスに満たし、グラスを唇につけた。火照《ほて》りが治まっていく。心も少し鎮まってくれればいいのに、と願う。庭では、子供たちが相変わらず歓声を上げて遊んでいた。今のは白昼夢だったのかと思うほど、穏やかな夏の夕方だった。

2

目が覚めたら、午前九時近かった。寝不足なのに体が快く重い。石山に抱かれた記憶が心だけでなく、足指の先から髪の毛に至るまで、全身に留まっていた。それが充実感となってカスミの血を静かにたぎらせる。すぐ横では、深酒した道弘が鼾《いびき》をかいて熟睡していた。道弘に申し訳ないと思いながらも、つい比べてしまう自分がいる。石山とはいつも体のどこかを触れ合わせていたかった。石山との行為のすべて、いや肉体のすべてがカスミのために誂《あつら》えたようにぴったり合っているのだから。石山に抱かれて朝まで眠りたい、一夜でいい。ラブホテルでの短い逢瀬の時は、たとえ体を重ねなくても二時間以上一緒にいられたらと念じたものだが、欲望は限りなく肥え太るものらしい。ひとつ達成すると、更にもう少し、もう少し、と。カスミは小さく吐息を漏らし、軽い羽毛布団の中で伸びをした。目を上げると、カーテンの隙間から白みを帯びた北国の青空が見えた。この土地に来て、か黒い不安を感じたことさえ今は笑いぐさだった。カスミは勝ち誇った気分で再び空を見上げた。その時、いつもと違う静かな気配に初めて気付いた。子供たちは勝手に起き出したらしく、布団はもぬけの殻だ。カスミは慌てて身繕いして階下に降りた。

朝陽が斜めから射し込んだリビングはアルコールの臭いが淀み、光の帯の中に細かな埃が立ち上っているのが見えた。チンダル現象。その言葉を教えてくれたのも石山だった。テーブルの上には、ワインの瓶やビール缶、封を切ったつまみの袋がだらしなくそのままになっている。朝の清々しい気分が萎える。しかし、片付けを後回しにしたのは他ならぬ自分たちだった。昨夜、道弘は酔い潰れ、典子は早めに寝室に引っ込んだ。それをいいことにカスミと石山はリビングのソファでキスし、もどかしく交わったのだ。その罪がここにある、とカスミは部屋を見回す。が、同時に何か痕跡を残していないか、確かめるしたたかさと落ち着きも備わりつつあった。

カスミは子供たちを探そうと思った。姿はどこにもないし、声も聞こえない。交通事故の心配がないとはいえ、しんとした山の中にいること自体が、カスミの不安をかき立てる。それだけではなかった。自分と石山が互いの家族を裏切ってまでも欲望を全うしている、そのことが負い目となっていた。来る途中で見た朽ちかけた別荘のように、森の勢いに飲み込まれたのではないか。そんな怯えが心の底にある。

玄関にあるはずの子供たちの靴が全部なかった。四人で何も告げずに出かけたことは間違いない。三和土《たたき》に降りてスニーカーの紐を結んでいると、たまたま小用に起きたらしい道弘が階段を降りて来た。まだ少し酒の臭いがした。

「ゆうべ、遅かったのか」

「三時くらいまで飲んでたかしら」

「洗わなかったのかい。人の家なのに」

道弘は非難する目でリビングの有様を眺める。

「石山さんがこのままでいいですって言うから先に寝たの。あなただって酔い潰れてたじゃない」

カスミは自責の念を密かに押し隠し、抗議にすり替える。我ながら狡いと思う。だが、道弘は素直に謝った。

「ごめん。きっと仕事で疲れてんだな」

仕事の二文字を言った途端、道弘は苦いことを思い出した表情になり、両手でそそけた顔を擦った。

「有香たちは？」

道弘は眩しそうに目を細めて庭を眺めた。

「みんなで勝手に出かけたらしいの。ちょっと外を見てくるから」

「俺も行くよ」

二人で表に出た。気温は低く、半袖のTシャツ一枚では肌寒いほどだった。湖を抱えた向こうの山裾《やますそ》に白い霧がかかり、湖面からゆっくり消えていく。反対に青空が色味をますます濃くする。美しい夏の朝だった。カスミは石段を降りて道に出た。

「どこに行ったのかしら」

二人はアスファルト舗装の黒い道を下り始めた。カスミの心を塞いでいるのは、道弘を騙すことに罪悪感を持たなくなってきているという発見だった。自分と石山は確実に互いの夫婦関係を壊し、新たな関係をせっせと築いている。怖ろしいほどの速さで。いずれ、どちらかに破綻が来ることはわかっていた。片方が崩れれば、もう片方も同じだろう。自分たちは道の際を歩いている、カスミは路肩の側溝を見ながら思った。側溝の中には虫の死骸や枯れ葉が落ちて積もっていた。際から落ちれば、それらに埋もれて生きることになる。が、それでもいいと思う自分もいるのだった。

五十メートルほど下の右手に豊川の別荘が見えてきた。昨日、和泉が豊川の庭で犬の死体を片付けたという話を思い出す。その時、坂下から子供たちの賑やかな声が聞こえてきた。思わず走り寄ると、豊川家の前に子供たちがいるのが見えた。若い男が道路の真ん中に腰を下ろし、子供たちはその周囲でてんでに喋り散らしたり、木の葉を拾ったりしている。

「お母さん」

カスミの姿をいち早く見つけた有香と梨紗がこちらに向かって走って来る。勾配がきついためすぐに近付くことができない。

「あれは豊川の坊主だな」

若い男はゆっくり立ち上がって、半パンツの尻の汚れをはたきながらカスミたちが到着するのを待っている。有香が勢いよくカスミの腹にどんと体を当てた。息を切らして肩を上下させている。いつの間にか気に入りの緑のTシャツを着ていた。夜のうちに洗って干し、毎日着せないと機嫌が悪いのだった。

「黙って出て行っちゃ駄目じゃない」

「ごめんなさい」

「どこに行ってたの」

「下のおうちなんだけど寝てて閉まってた」

「どこのおうち」

「和泉さんち」と、瑠璃子が答えた。

口々に子供たちが喋りだした。四人は和泉家まで行って戻って来たらしい。カスミは呆れて道弘と顔を見合わせた。若い男が首を突き出すように挨拶した。

「どうも」

「豊川さんですか」

「はあ」

照れているのか、豊川の息子は横を向いた。細い目をしていてほっそりと背が高く、赤茶けた髪を後ろで束ねている。カスミは、ひと夏だけ故郷の浜に居着いた男を思い出した。男は二十代半ばで、もう二年以上もテント暮らしをしているのだと高校生のカスミに告げた。

『二年間、インドとかパキスタンを旅行してた。帰りたくなかったけど、ビザ切れて帰ることになってさ。チケット見たら、成田か札幌か選べるって書いてある。どっちにしようかと悩んだんだけど、まだ帰りたくなかったから札幌を選んだんだ。でも、性に合わなくて、あちこちの浜辺歩いてさ、やっとここに辿り着いた訳。俺は何だかここが一番気に入ったなあ』

『どこがいいの』

『さあ』男は自分でもわからない様子で首を傾げ、黒ずんだ砂を見た。

『インドとかパキスタンってどんなとこ?』

カスミの質問に男は曇天を仰いで暫く考えていた。

『時間が流れてないんだね、つまり。浦島太郎ってこういう生活してたのかなって思ったりして』

男はそう言って薄ぼんやりと笑った。カスミは海外に行った男でもこんな浜を気に入るのかと驚き、毎日遊びに行った。男は岩陰に小さなオレンジ色のテントを張り、そこでほとんど寝て暮らしていた。音質の悪い小さなカセットテープレコーダーを持っていて、同じテープを繰り返し聴いていた。そしてジミー・クリフの「ザ・ハーダー・ゼイ・カム」の箇所になると決まって、陶然とした目をして幸せそうに微笑むのだった。『働かざる者食うべからずだわ』。男はその度に、にこにこと薄笑いに見えないこともない笑みを浮かべただけで、何も言わなかった。嵐が来た夜、とうとう男はテントを畳んでどこかに行ってしまったのだった。

豊川の長男の顔はその青年に似ている。カスミは生まれ変わりかと見つめた。

「おばちゃん、お兄ちゃんのとこ、犬が死んでたんだよ」

龍平がカスミにわざわざ言いに来た。道弘が梨紗をおぶって歩きだした矢先だった。道弘がそうそう、と振り返る。

「どこで死んでたんですか」

カスミが息子に尋ねると、彼は家を振り返る仕草をした。

「庭です。何か臭いってお袋が言うんで。親父が見に行ったら犬の死骸があるって騒ぎになって」

「じゃ、随分日が経ってたんだろうね」

道弘が嫌な顔をしたが、息子は淡々としている。他人の感情に影響されずに全く変わらないところもあの男にそっくりだった。

「はあ、そうみたいで。みんな庭なんか見ないから誰も知らないで」

「水島さんはどうやって片付けたの」

「いやあ、何かビニール袋持って来て、臭い臭いって和泉さんと二人で入れてったみたいです」

龍平が弾けるように笑った。「臭い臭い」。有香も面白がって一緒に繰り返す。「臭い臭い」。息子がふざける子供たちを見て少年の顔で笑った。

「あんたたち、やめなさいよ」と少し年長の瑠璃子が二人を止めた。典子の口調に少し似ていた。

「じゃ、庭も臭いんじゃないかな。そういうにおいってなかなか抜けないっていうね」

「でも、庭ったって誰も行かないし。お袋がどうせ雪が降るからって」

「信じられないな。俺なんか絶対嫌だな」

帰る道すがら、道弘は不満げだった。雪が降るから、という理屈が釈然としないのだろう。道弘なら消毒して土を全部捨ててしまうかもしれない、とカスミはおかしかった。

ここでは雪が降れば地面は凍るし、半年間は隠れてしまう。そして春が来れば皆忘れてしまう。

十時過ぎにようやく起きてきた石山は、子供たちの朝の冒険を聞いて愉快に思ったらしい。くわえタバコのまま、自慢そうに報告する龍平の頭をごしごし擦って笑った。無精髭が伸びて、寝起きの声が掠れていた。着馴染んだTシャツは大きな肩胛骨《けんこうこつ》と背骨の溝を浮き彫りにしている。カスミは石山に駆け寄りたい衝動を必死に抑えた。石山の皮脂の匂いを嗅ぎたい。あの背骨を指でなぞりたい。

石山のことは、磨かれた大理石のように滑らかな男だと思っていた。身だしなみがよく、器用な指先で丸っこい揃った文字を書き、乱暴な物言いも粗雑な仕事も嫌う。だが、今の石山は荒削りでざらりとしている。それが新たな魅力となってカスミを捉える。石山を容れるもっと沢山の受け皿を持ちたい、とカスミは強く思う。今朝感じた体と心の充足感が潮が引くように涸れていくのを感じる。今すぐ欲しい。石山への新たな渇望がカスミを苦しめた。煉獄だった。カスミは自分を律するために息を吐き、目を伏せた。目の端に、自分を観察している典子の冷えた視線を感じて顔が強ばった。石山の声が聞こえてきた。

「よし、明日は和泉さんを叩き起こしちゃえ」

龍平の顔に得意げな笑みが浮かんだ。典子の茶に染めた髪が昨日とは打って変わってぱさついている。髪を両手で押さえた様は憤懣《ふんまん》を堪えているようだ。

「そんなことしたら、迷惑じゃない」

「冗談に決まってるさ。マジになるなよ」

石山は怒りを顔に出した。典子はたちまち眉を曇らせる。二人は階下に降りてきた時から不穏で、階段を踏む足音すら高かった。昨夜のことがばれたのだろうか。カスミは不安で堪らなくなる。カスミは龍平と梨紗の手を取った。「お庭に行こうね」と声をかける。彼らは喜んで走り出て行ったが、有香だけは立ち止まり、いつもと違う不機嫌な石山たちを訝しげに眺め上げていた。諍いの嫌いな道弘は石山たちの様子を一目見るなり、もう一度寝るから、とそそくさ二階に上がって行った。

「子供はすぐその気になるんだから、変なこと吹き込まないで」

カスミは庭を眺めながらコーヒーを飲む振りをして、聞き耳を立てている。道弘の真似をして席を外せばいいのだろうが、石山のことはすべて見届けたかった。

「そんなこと子供だってしやしないよ。考え過ぎるな」

「考え過ぎてなんかいないわ。そっちこそ向きになってる」

「人前でやめろよ」

カスミを意識して言った石山の言葉に釣られて、カスミは典子を振り返った。典子の目に棘《とげ》がある。カスミは静かに見返した。負い目はもうなく、石山を心から愛しているという自信があった。だから、ここで破綻するならしてもいいと思ったのだった。典子は低い声で言った。

「カスミさんの前だからでしょう」

「どういう意味だよ」

「何の意味もないわよ」呆れた風に典子は言い、カスミに一応謝った。「ごめんなさい、カスミさん。みっともないとこ見せて」

「いいえ」

有香が茫然と大人たちの遣り取りを眺めている。カスミは有香の手を取って無理矢理ベランダに連れ出した。有香は引っ張られながら、ずっと眉根に皺を寄せていた。自分や自分たち家族が悪いことをしたために、石山と典子が喧嘩をしているのだと思ったらしい。

「有香。子供だけでお散歩行く時は、お母さんに必ず言ってよ」

カスミが早朝の散歩のことに釘を刺すと有香は神妙に頷き、気を取り直して、ようやく遊びの輪に加わって行った。カスミは居間に戻ったが、石山の姿はなく、典子は堅い背中を見せて台所で昼食のための素麵を茹でようとしていた。カスミは寝室に戻って道弘の横で本でも読もうと階段を上がり始めた。車がなければ町に出ることもできないし、付近には散策する場所もない。目の前には下るだけの一本道。鬱蒼とした暗い原生林に閉じ込められた気分だった。

「カスミさん」

典子が振り向いて話しかけた。カスミは階段の途中で立ち止まった。

「はい」

「いい加減にしてよ」

凍り付いた。典子と目が合う。怒りや憎しみが籠もっているのならまだいい。典子は自分を軽蔑していた。カスミはやっとのことで聞いた。

「どういうことでしょうか」

「知ってるのよ。それ以上言わせないで」

典子は吐き捨てると、くるりと背を向けた。ぐらぐら煮立てた湯に素麵の束を投げ入れている。素麵はすぐ茹だるだろう。典子がその湯を荒々しく振り捨てる様を思い浮かべ、カスミは階段を上がり始める。カスミは段をひとつ登るごとに、きつく奥歯を嚙み締めて決意を堅く、そして強固にしていった。どうしたらいいのか、などとは考えなかった。典子はこれまでと変わりなく道弘にも子供たちにも自分にも接するだろう。だとしたら、自分たちもこれまで通りにするしかないではないか。それが裏切りとわかっていても、石山と会うために来たのだから。

道弘は何も知らずに口を開けて眠っていた。カスミたちの部屋は玄関の真上に当たるので、庭を見下ろせる。カスミはレースのカーテンを開け、窓枠に頬杖をついて見るとはなしに外を眺めた。四人は芝生で追いかけっこしていた。子供たちの屈託のなさに思わず見とれる。彼らは石山夫婦の喧嘩など、いずれ忘れてしまうだろう。しかし、子供の記憶の中に、物事の思いもかけない細部が生きていたりすることに、時々驚かされる。有香の怯えた顔を思い出し、この出来事が有香の内部にどう残るのだろうかとカスミは考えた。それが他ならぬ自分のせいだといつか思い至った時、娘は自分を憎むだろうか。そんなことはどうでもいいのだ。荒野で真っ向から風を受けている気がする。カスミは両手に顔を埋めた。

庭の隅に石山が立っていた。石山はタバコを吸って子供たちを見ている振りをしながら、カスミに腕時計を示した。そして右手の指を二本出した。午前二時だ。カスミは頷いた。

暗がりの中を忍び足で進んで行くと、石山の匂いの塊がある。石鹸と体に染み込んだ川の匂い。カスミはその胸に飛び込んだ。あのエレベーターの中と同じだった。

「よく来たね」

「あなたこそ。典子さんにばれたわ」

「わかってる。俺が悪かったんだ」

「でも、私は」

「何も言わないで」

耳元で囁き合い、二人は手を繋いでもつれるように玄関脇の小さな部屋へと急ぐ。部屋は黴臭く、真っ暗だ。だが、そんなことが何だというのだろう。二人は服を脱ぐのももどかしく、抱き合ったまま冷たいマットレスだけのベッドに横たわった。真の暗闇の中で、カスミは上に重なる石山の体の厚みを手でまさぐり、顔をなぞった。臑にある傷まで足の指で触れて、石山を全身で確かめた。

「いつまでもこうしていたい」

「こうしていよう」

「いつまで」

そう聞いてしまった後、自分は何を求めているのだろうとカスミは思った。すでに破滅は見えていた。破滅から二人だけの新しい世界を作ることができるのだろうか。しかし、ほんの刹那でも、この湿った暗い部屋は確かに二人だけの新しい世界ではある。石山がカスミの中に入ってきた時、カスミは高い声を上げ、石山とこのまま生きていけるなら子供を捨ててもいいとまで思ったのだった。

八月十一日朝。カスミは枕元でばたばたする音で一度目が覚めた。有香と梨紗が早くも起き出して、服を着ていた。二人はお揃いの緑のTシャツに、白いショートパンツを穿《は》いている。

「もう起きちゃうの？」

「お母さん、おはよう」

カスミの枕元から有香が覗き込んだ。寝癖がついていて、切りそろえた前髪があちこちに跳ねていた。カスミは髪を手で直してやり、有香に聞いた。

「今、何時くらい」

「わかんない」五歳の有香はまだ時間の観念が曖昧だ。代わりに、横で目を覚ました道弘が腕時計を見て答えた。

「七時前だよ」

「もうちょっと寝かせてよ。お願い」

道弘がもぞもぞ起き出す気配がした。

「じゃ、今朝は俺が起きるよ」

「ありがとう。有香、寒いからカーディガン着なさい。梨紗も」

娘たちがTシャツの上から黒いコットンのカーディガンを羽織ったのを確認した。目を閉じると、有香が覗き込んだ。

「お母さん、眠いの？」

「すぐ起きるから。ごめんね」

カスミは有香の顔を両手で挟んで頭を撫でてやった。それを見た梨紗が甘えて擦り寄ってきたので、同様のことをしてやる。三人が部屋を出て行く物音を聞きながら、カスミは目を閉じた。この布団に戻ったのは、たった三時間前だった。カスミは羽毛布団の温かさにくるまれ、石山の体はもっと熱いと考える。感触の反芻がどれほど幸せなことか。カスミは石山を膚で思い起こしていた。目が覚めれば現実が待っている。典子と戦う現実。もう少し夢に漂っていたかった。

どのくらい眠っていたのかわからない。おい、と道弘に揺り起こされるまで、カスミは夢を見ていた。カスミと石山と有香とで、支笏湖でボートに乗っている夢だった。山がすぐそばまで迫り、水は信じられないほど深く、たっぷりある。その表面にカスミたちは儚《はかな》く浮いているのだった。石山はオールも持たず、山を眺めている。さざ波が立ち、ボートがゆらゆら揺れる。カスミは不安で堪らないのに、石山と有香は上機嫌で笑い、カスミの目を見つめている。まるでこの三人が家族のような、妙な夢だった。

「おい、有香がいないんだ」

カスミは驚いて飛び起きた。時計を見ると、七時四十五分。いったい何事が起きたのか、訳もわからず急いで服を着た。

「どうしたの、いったい」

「さっきみんなで散歩に行ったんだけどさ。梨紗がおしっこしたいっていうんで、俺が家の中に入っている間に、有香一人でまた出て行っちゃったらしいんだ。すぐに後を追いかけたんだけど、どこにもいない」

「そんな馬鹿なこと」

言うそばからうろたえて声が震えた。すぐに見付かる、何を焦っているのだ、と思っても、昨夜、子供を捨ててもいいとまで思ったことや、たった今見た夢の光景が脳裏に浮かび、不吉な思いばかりがこみ上げてきてカスミをいたたまらなくさせる。

「家の中は？」

「見たよ。見てないのは……」道弘は言葉を切った。「石山たちのところだけ」

「まさか。いないでしょう」

カスミは一瞬、彼らを起こして部屋を探してみようかと考えたが、杞憂《きゆう》に過ぎないのかもしれないし、朝から騒ぐのも申し訳ない気がして躊躇われた。道弘も同じ思いだったらしく、「外だよ、絶対」と言い切った。

階下では、残された子供たち三人がしんとして牛乳を飲んでいた。有香が欠けていることをこの目で確認すると、カスミはたちまち黒い不安に襲われた。

「ここにいてね。お母さんたち、お姉ちゃん探して来るから」

子供たちは暗い顔付きで一斉に頷いた。有香に何か変事が起きている、どんなに幼くてもそれがわかるのだ。

カスミと道弘は焦る心を隠しながら、隈なく別荘周辺の山道を探し回った。空き家となった別荘の床下まで覗きこんだが、有香はどこにもいなかった。一本道のどん詰まりから有香がどこかに行くとしたら、道を下るしかないはずだ。道ひとつない原生林の生い茂った山中に分け入るのは、大人でも難しい。ところが、有香の姿は道のどこにもなかった。

「もっと詳しく話してよ」

カスミは朝の山道を駆け下り、道弘を厳しい声で追及した。スニーカーの紐が解け、何度か足がもつれる。道弘も慌てているのか、うまく言葉が出てこない。

「だからさ、四人で豊川さんの下まで散歩に行ったんだよ。そしたら、梨紗がおしっこしたいっていうから、すぐにみんなで別荘まで戻って来たんだ。有香はもっと行こうよって不満そうだった。だから、ちょっと待ってなさいって言い聞かして、急いで梨紗をトイレに連れて行った。戻ってみたら、有香だけいないんだ。瑠璃子ちゃんと龍平君に『有香は？』って聞いたら、『一人で階段降りて道に出た』って言うじゃないか。三人の子を別荘に置いて探しに行ったんだけど、下れどもどこにもいない。和泉さんの家まで行っても、『来てない』って言われた。残した子供たちも気になったし、とりあえず戻って来て、おまえを起こしたんだ」

「梨紗がトイレに行ってたのは何分くらいなの」

「ほんの三、四分かな」

「だったら、和泉さんのとこまで行ける訳がないじゃないの。あそこは子供の足で、七、八分かかるはずよ」詰問口調になっている自分に気付き、カスミは涙を流しそうになった。

「ごめんなさい」

「いいよ、それで豊川さんのところにも行ったけど、向こうはまだ寝てててね。迷惑そうな顔した奥さんが出て来て『知りません。来ていません。お嬢ちゃんの姿は一回も見たことありません』って」

「どんな人」

「男みたいなおばさんだよ」

「あの坊やは」

「いたよ。でも、寝てて知らないって」

「ねえ。いったい、どうしたらいいのかしら」

小さな足音がひたひたと背後から聞こえた。有香か、と期待を籠めて振り向いたのだが、瑠璃子だった。待つのが不安になって後を追って来たのだろう。小さな肩を上下させて、息を切らしている。

「おばちゃん」

「瑠璃子ちゃん、おうちに戻ろう」と抱き締めると、瑠璃子はカスミの涙を見て一緒に涙ぐんだ。

「おばちゃん、有香ちゃんどうしたの」

「わかんないの。ね、瑠璃子ちゃん。誰も来なかったよね。車も来なかったよね」

「知らない」瑠璃子はべそをかき、首を振った。

車で連れ去られたのならば、音がする。歩いて下るには、時間が足りない。有香は絶対に山道にいるはずなのにどこにもいない。いったいどこに行ってしまったのだろう。空に浮かんでいるのかもしれないとカスミは空まで眺め上げた。遠くの山裾に白い雲がたなびく、初秋の青空だった。何もない。どこにもいない。カスミは気が狂いそうになった。

それから暫く、道弘と手分けして山道のあちこちを探したが無駄だった。探し疲れて別荘に戻って来たのが、九時過ぎ。道弘は引き続き山を探すというので、カスミは一人で家に入った。典子が起きていた。心配そうな青白い顔をして、カスミを迎える。子供たちはおとなしく、典子が用意したフレークとソーセージの朝食を食べていた。

「有香ちゃん、いましたか」

「いいえ」

自分の顔は醜く引きつっているだろうとカスミは思った。典子は意を決したように間を置いた。

「カスミさん、言っておくけど」

「何でしょう」

「私は幾らあなたが憎いったって、そんなこと絶対にしませんよ」

「わかってます」

「子供は関係ないから」

「ええ」

「早く見付かるといいわね」

典子はそう言って視線を外した。典子には典子の自尊心の有り様がある。カスミにはわかっていた。典子が腕時計を見て苛立った。

「こんな時に何してるのかしら。今、石山を起こしてきますから」

「いいです」カスミは遮った。「私が行って警察のこと頼んできます」

カスミは典子が嫌な顔をしたのも構わず、階段を駆け登って石山の部屋のドアを激しくノックした。石山は三つある寝室のひとつを一人で使っていた。

「石山さん、すみません。起きてください」

「はい」とくぐもった声がして、すぐに石山がドアを開けた。髪が乱れて、Tシャツがめくれている。石山はカスミの顔を見て微笑みかけたが、変事を悟ったらしく顔色を変えた。

「どうしたの」

「有香がいないんだけど、警察に捜索願出してくれませんか」

「ええっ。どっかにいるんじゃない」

石山はのんびり言ったが、カスミの目に浮かんだ涙を見て急に慌てた。カスミはこれまでのことをかいつまんで話した。こうしている間にも、有香がここから離れて行ってしまうようで、気が気ではない。あるいは穴にでも塡《はま》り込んでいて、酸素がどんどん奪われているのではないかという、いてもたってもいられない恐怖。話を聞き終えた石山は断言した。

「いなくなるはずないよ」

「でも、さっきからずっと探しているのよ。どうしてわかってくれないの！」

カスミの声が破裂した。石山は撃たれたように全身を強ばらせた。カスミは言い過ぎたとすぐに反省したが、跳ねて飛び出しそうな心臓は、どうにも収まらないのだった。

「ごめん。すぐ俺も探しに行くから」

石山はカスミの肩を抱いて宥《なだ》め、素早く唇に接吻した。カスミはそのまま石山の胸の中に倒れ込みたくなる衝動と戦っている。立ち尽くすカスミを置いて、石山が先に階段を駆け降りて行った。ようやくカスミが後を追うと、石山はあちこちに電話をかけ始めていた。和泉、豊川ら近所と、水島管理人。和泉から支笏湖そばの駐在所に電話をしてくれるように頼んでいる。

「どこにもいないよ。どうしたんだろう」

道弘が徒労の虚しさを漂わせて別荘に戻って来た。代わりに石山が探しに出た。大人たちが血相を変えて右往左往しているので、他の子供たちは、息を潜めて部屋の隅で小さくなっていた。気の弱い梨紗は啜り泣いている。十時過ぎ、とうとうカスミは叫んだ。

「豊川さんの家よ。あそこに隠されているんだわ」

おい、と道弘が肩を抱こうとしたが、カスミは自分でも信じられない力で振りほどいた。悪意ある大人が娘を連れ去ったのだという確信が、なぜか心を離れなかった。突然、降って湧いたように起きた有香の不思議な失踪という事態に、どう対処していいのかわからなかったのだ。

「絶対、誰かが有香を隠しているのよ！」

カスミは台所をうろうろしている典子にも腹が立った。

「何見てるのよ！　自分の子じゃないから平気だっていうの！」

典子が梨紗を抱いて悲しそうに首を振り、二階に登って行く。瑠璃子や龍平も母親を慰めるようについて行った。それも衝撃だった。自分たちの家族は一人欠けて崩壊しつつある。なのに、典子は安泰なのだ。支離滅裂なことは百も承知で、カスミの中にある野蛮なものが獲物を求めて咆哮《ほうこう》しているとしか言いようがない当たり方だった。

「お前、いい加減にしろよ！　少し落ち着けよ」

カスミの肩を道弘が強く摑んで揺すった。力ない首ががくがくと前後に揺れる。されるがままになっているカスミは、咆哮を夫にも向けた。

「あなたがしっかり見ててくれないからじゃないの！」

和泉と水島、警察官の三人が居間の入り口に窮屈そうに立っていた。一部始終を見られたに違いなかった。和泉も水島も一昨日と同じ格好で、顔付きも同じだった。カスミは自分の娘と犬の死骸が同じ扱いを受ける気がして不快になった。

「何ですか。何の用」

切り口上のカスミに、和泉が平然とした顔で返した。

「奥さん。落ち着いてくださいよ」

和泉はカスミの肩をとんとんと叩いた。瞬間、石山と同じ川の匂いが鼻先を掠めた。カスミの体から急に力が抜けた。石山に自分のそばにいてほしかったのだ、と初めて気付いた。

「こちらはね、駐在の脇田巡査です」

脇田は若い男で、寒冷地に住んでいるせいか、頬の毛細血管が細かく浮いて見える。そのため、純朴で頼りがいのある警察官に見えないこともない。脇田は軽く敬礼すると、きびきび道弘に問うた。

「状況からご説明願えますか」

部屋の隅に立っていた水島は被っていたキャップを取り、気の毒そうにカスミを見ている。「奥さん、ご心配でしょうね」と言って、目を伏せた。和泉がタバコに火をつけ、持参した地図を脇田に見せながら言い切った。

「ここ、あんたも知ってるでしょう。いなくなるはずなんか絶対にないんだ。変な話じゃないか」

「そうですねえ」

「犬を出すよう要請してくれよ、脇田さん」

「札幌から来るそうです」

犬とは警察犬のことなのだろうか、とカスミは考えている。道弘が一緒に地図を指し示しながら、今朝の出来事を説明している。カスミが大きな溜息を吐くと、それが聞こえたのか脇田が振り向いた。制帽を取った額に玉の汗が浮かんでいるのを、カスミはぼんやりと眺めている。

「じき応援も到着しますから、奥さん、どうぞご安心ください」

脇田と和泉に再度促され、道弘が同じことをまた最初から説明し始めた。

「やはり、いないなあ」

石山が血走った目をして帰って来た。カスミは立ち上がり、石山の顔を見つめた。石山が駆け寄ってカスミの肩を抱いた。

「絶対に無事だから、そんなに心配しないで」

「ええ」

石山とカスミを取り巻いている男たちの目に何かの色が滲み出てくる。二人の間に漂う信頼が隙間から洩れ出る風のように伝わっているのだ。カスミは挑戦的に男たちを睨み返した。あなたたちに何がわかる、あたしたちのことの何がわかる。道弘と目が合った。道弘は初めて不審な顔で、カスミの目の奥を覗き込んでいた。周囲に臆さずに石山がカスミの背を撫でた。

「大丈夫。あなたはここで待ってて。絶対に見付かるから」

「ええ」

石山が自分に優しいのは同じ罪を重ねたからだ。原因を一緒に作ったからだ。互いに子供を捨ててもいい、と思った瞬間もあった。それを知っているから、自分と石山は慰め合い、かつ罪に怯えているのだ。

豊川夫妻、恵庭《えにわ》署の刑事たち、山狩りの相談に来た地元の消防団員などが入れ替わり立ち替わり現れたが、カスミは、ただ俯いていた。対応はすべて道弘と石山が引き受けてくれた。

一週間経った。しかし、有香の行方はわからなかった。何の痕跡も情報もない。まるで神隠しにあったように有香は忽然と消えた。典子は子供たちを連れてとうに帰京し、どうしても仕事を休めない道弘と石山も梨紗とやむなく東京に戻ることになった。

三人が帰るという日の午前中、カスミが別荘前のコンクリートの階段に腰を下ろしていると、石山が背後から近付いてくるのを感じた。釣りをやめた石山の体からは、川の匂いは消え失せていた。

「カスミさん」

「どうしよう」石山の顔を正面から見てカスミの口から出たのは、そんな言葉だった。「ねえ、有香はどこに行ったのかしら。私、どうしよう」

「探そう。絶対に生きてるから」石山はカスミの冷たい手を取った。

「そうね」

カスミは力のない目で原生林を見渡す。植物のエネルギーが落ちて来ているのを感じていた。山は冬支度に入りつつあった。夜になると一層気温が下がる。その度、有香はどこかで凍えているのではないかとカスミは身を苛まれるのだった。カスミの憔悴《しょうすい》を知っているだけに、石山も元気がない。

「これから言うことを怒らないで聞いてくれないか」

「怒る？」自分に怒るエネルギーなど残っていない。カスミは初めて会う人のように石山を眺める。

「有香ちゃんがいなくなったのは俺の責任だ。俺がここを買ってあなたを無理矢理連れてきたからだ。俺はそれに耐えられない」

「耐えられないの？」

カスミは窶《やつ》れた石山の顔を見た。

「そう、あなたが辛い目に遭っていることが耐えられない。それに加えて、俺は典子が事情聴取されるのにも耐えられない」

「何のこと」

「俺とあなたのことを疑う人がいる。警察で典子はそのことを仄《ほの》めかされたって。知らないと突っぱねてきたらしいが、俺とあなたの関係がちょっとでも洩れれば、典子の立場は苦しくなる。嫉妬から有香ちゃんをどうにかしたと思われるんだ。いや、全員が無用に疑われる。だから、俺たちのことは誰にも言わないでくれないか。典子も決して口外しないと誓った」

カスミは顔を上げた。

「それはないことにしろということ?」

「ないことにしろなんて言わない。あったことなんだから。ただ、そういう事実を他人に言うのだけはやめにしようということだ。でないと、典子が疑われる。森脇さんだって痛くもない腹を探られるだろう。滅茶苦茶になってみんなが傷付く。俺はそのことにも耐えられないんだ」

石山の決意がすでに過去形になっていると感じながら、カスミは恵庭岳の頂上に真昼の月が出ているのを眺めていた。

「おしまいってことなの」

「おしまいじゃないよ。だって、俺はあなたが好きなんだから」

石山は道のほうを気にしてちらちら振り返って言った。道弘は梨紗を連れて和泉のところに挨拶に行っていた。

「じゃ、どうしたらいいの。もう会わないの」

「会えないよ」と石山は声を底から絞り出すように言った。「どんな顔してあなたに会える。俺のせいであなたの子供がいなくなったんだから。どんな顔して会えるよ。俺には耐えられない。だから少し待ってくれないか」

「待つ? どのくらい」

「有香ちゃんが見付かって。俺のほうも片付いたら」

「あなたは何を片付けるの」

「典子とのこと。それには少し時間がかかるんだ。申し訳ない」

石山はタバコに火をつけ、右手の小さな庭を眺めている。ブランコの下に龍平のものらしいプラスチック製の黄色いシャベルが転がっていた。その鮮やかさが目に沁みた。

「ねえ、待っててくれる？」

石山はカスミに聞いた。カスミは黙って自身のスニーカーを見つめている。石山はもう一度懇願した。

「カスミさん、待っててくれるか」

「何を待つの」

カスミは石山の驚愕する目を正面から眺めた。

「何って、俺を待っててくれよ」

「待ってどうなるのかしら。あなたは今の私を助けてくれない。だったら、意味がない」カスミはかぶりを振って小さな声でつぶやいた。「将来の何かのためにどうかしたり、待ったりすることなんて私にはできない。これまでもしたことないし、したくない。私にはいつも今しかない」

「そうだよね」石山は溜息を吐いた。「あなたはいつもそうだ」

「今、あなたが私と一緒にいられないのなら、私は一人で有香を探すだけだわ」

「いてあげることはできない、ごめん。俺にはまだ家族がいる」

吸り泣きが聞こえた気がしたが、カスミは石山を見なかった。足音と話し声が聞こえてくる。道弘が梨紗を連れて戻って来たらしい。石山は立ち上がって何も言わずに別荘に入って行った。

三人が午後の飛行機で帰った後、カスミは空っぽになった別荘に一人いた。後一ヵ月は滞在するつもりだった。有香が戻って来た時、自分がいなかったら可哀相だと思ったからだ。日暮れてから、カスミは部屋をひとつひとつ見て回った。暗い隅から有香の囁き声が聞こえるような気がした。『お母さん、お母さん』。隠れん坊でもしているつもりなのか、あの子は。カスミは笑いを漏らし、『早く出てらっしゃい』と何度も声をかけた。最後に玄関脇の四畳半に向かった。この部屋はあの夜以来、一歩も足を踏み入れていない。カスミはドアに耳を付けた。中から石山と自分の喘《あえ》ぎが聞こえてくる。新しい二人だけの世界だと思ったのは、あの瞬間だけだった。だが、自分はそのために生きていたのだから仕方がない。カスミはドアから耳を離すと初めて小さな嗚咽を漏らした。石山が恋しかった。有香が恋しかった。

インターホンが鳴った。カスミが一人になったのを見計らって有香が帰ってきたのだろうか。カスミは涙を拭き、微かな期待を籠めてドアを大きく開けた。藍色に暮れかけた空を背に、豊川一家が立っていた。男のように髪を短く刈り込んでいかつい男物のジャケットを着た妻が低い声で言った。化粧気が全くなく、ぶっきらぼうだったが、声音には同情があった。

「皆さんお帰りになったんですってね。一人で寂しいと思って」

「それはどうも」

カスミは失望を隠さずに答える。

「よかったらうちで晩飯いかがですかね」

長男によく似た目をした夫が誘う。豊川は酒飲みらしく、青黒く太った猪首の男だった。その後ろに長男が畏《かしこ》まって俯いている。

「ありがとうございます。だけど、気が進まなくて」

「そうでしょうねえ。じゃあ、後で何か届けてあげましょうか」

カスミが固辞すると、妻が言いにくそうに言った。

「実はね、うちは明日帰るのよ。今シーズンでこの別荘売る気なの。有香ちゃんがいなくなったんで売りにくくなっちゃったんだけど、いずれそうすると思うので気を悪くしないでちょうだい」

「どうしてですか」

「だって、有香ちゃんが帰って来た時、知ってる人があまりいないと可哀相じゃないかなど思って」

長男が悲しそうに顔を歪めた。カスミは急に涙を溢れさせた。犬が死んだ庭がどうでもいいのは売るからだったのだ。雪が降る頃にはいなくなるからだ。誰もいない家の群。自分はやっとあの村から脱出したというのに、有香をこんな寂しい場所で見失ってしまった。有香を哀れに思ってカスミは涙を止めることができなくなった。人前で号泣したのはこれが初めてだった。三人は顔を見合わせておずおずと立っていたが、やがて帰って行った。

その夜、道弘からの電話の後に石山から電話がかかってきた。公衆電話らしく、背後で数人の男女が話す声と車の音がうるさく聞こえていた。カスミは東京からの音だと懐かしく聞いた。

「一人で寂しくない？」

「大丈夫」カスミは嘘を吐いた。

「俺は落ち込んでいるよ。有香ちゃんのことも責任感じるし、あなたのことも感じるし。どうしたらいいかわからないから、釣りとタバコやめることにした。何か辛いことしなくちゃいけないと思って。馬鹿だな」

「そんなことないよ。典子さんは？」

「元気ないよ。俺とはほとんど口を利いてない。俺があなたをこんな目に遭わせたことをあいつはあいつなりに腹立てているんだ」

「そうかしら」

「そうだ。俺は誰にも許されないのだろう」

石山は寂しそうに言った。

「私はそんなこと考えたことないわよ」

相手を許すとか、相手に許されるという発想はカスミにはなかった。カスミの相手とは、常に自分だけだ。

「そうか、ありがとう。ともかく、俺は有香ちゃんが見付かるのを待ってるし、あなたが元気になるのを待ってる」

カスミは、ありがとう、と言って電話を切ったが、石山が一緒に有香を探してくれないのなら言葉は意味がないのだ、とまた思った。


カスミは毎日、付近の山を歩いて有香を探し、それから恵庭署に出向いて何か情報はないか調べることを日課とした。恵庭署までの道のりを、水島が毎日ジムニーで送り迎えしてくれた。一週間経った頃、冷えた朝のことだ。カスミが別荘の前の道で水島が来るのを待っていると、いつもの時間より遅くジムニーが登って来た。横に和泉の妻、蔦枝が真っ赤なブラウスを着て乗っていた。蔦枝は車中からカスミに丁寧な会釈をした。

カスミは蔦枝と何度か会ったが、会う度、変わった女だと思っていた。六十歳を過ぎているのに妖艶で、外の世界に何が起きているのか関心がないらしい。趣味は庭いじりと料理だけで、冬の間は家に籠もって手芸三昧ということだった。自分の別荘地で幼女がいなくなったというのに、他人事のように「どこに埋まっているのかしらねえ」などとつぶやいて、道弘を激怒させていた。その蔦枝が一緒なので、カスミは不審に思ったのだった。水島が車から降りて、慇懃《いんぎん》に謝った。

「奥さん、申し訳ございません。実はですね、私、これから奥様を札幌のほうにお連れすることになったのですよ。それで、社長が来ますのでそっちに乗っていただけますか」

頷くと、二人は慌ただしく車をUターンさせた。蔦枝がにっこり笑って礼をした。電話でも済むことを。だったら湖畔まで乗せていってくれれば、自分で何とかするのに。カスミは訳がわからずに苛立った。だが、蔦枝が自分に会いたいからここまで登って来たのかもしれないとも思い至り、何とも不思議なことをするものだと首を傾げた。いったん別荘に戻り、防寒のためにもう一度身支度をし直していると車の音がした。今度は和泉だった。和泉は黒のダウンジャケットを着て、いつもより若々しく見えた。

「奥さん、乗りなさい」和泉は四駆のドアを開けて叫んだ。

「わざわざ申し訳ありません」

カスミが助手席に乗り込むと、和泉はすぐには車を発進せずカスミの横顔を見た。

「奥さん、あんた免許持ってますか」

「いいえ。持っていません」

「でも、カブなら練習すればすぐ乗れるでしょう。なあに、警察なんか何も言いませんよ」

「どういうことですか」

「私が中古のカブを手に入れてあげるから、こっちにいる間、それで走り回るといいよ」

「ありがとうございます。でも、どうして」

「いや、うちの奥さんがあんたに取られるって嫉妬《やきもち》焼いてね。もう送り迎えできないんだ」

カスミは呆れて和泉を見た。こちらは娘がいなくなったというのに、蔦枝は嫉妬している。いったいどういうことなのだろう。

「でも、私を乗せてくれているのは水島さんですが」

そこまで言って初めて、カスミは蔦枝の嫉妬が和泉ではなく、水島を対象としているのだと気付いたのだった。和泉は苦い顔をしたまま車を出した。今は無人となった豊川の別荘の横を通った時、和泉はカスミに話しかけた。

「私はね、奥さん。あんたの娘さんがいなくなったことは非常にショックでしたよ。こんなことが自分の別荘地で起こるとは本当に申し訳ないことだと思っています。いずれ責任は取らせていただきますから」

どうやって責任を取るというのか、カスミには想像もできない。また、和泉がどうして責任を感じているのかもよく理解できなかった。ただ、有香のことも豊川家の犬の死体同様、和泉に取っては別荘地の面倒のひとつなのだろうと納得したのだった。山を下り、道道に出て湖畔に近付くと和泉は溜息混じりにカスミに問うた。

「石山さんはあそこお売りになるのかな」

「さあ、どうでしょう。知りません」

「石山さんのことがわからないですか」

和泉はカスミの顔を見た。そんなはずはないだろうと言いたげな様子に、カスミは表情を堅くする。和泉には特別な勘があるらしい。カスミは恵庭署まで横を向いたままだった。その年、和泉と話す機会はそれきり訪れなかった。

カブが手に入った途端、カスミは自由を得た気がした。自分のどこに、こんな行動力があるのだろうと思えるほど、カスミは精力的に山道を走り、あちこちの家々を尋ねて何か情報はないかと聞いて回った。そして、時々カブを降りたっては、冬に向かって滑り込んで行くような速さで紅葉を深める山道を歩き、霜柱の立った地面をざくざくと踏んで有香を探した。北海道の森の荒々しさ、大気の凍るような冷たさ。そのすべてを憎み、この土地は自分に復讐しているのだと思いながら。

　ある日、恵庭署にカスミがいつも通り顔を出すと、浅沼という担当になった刑事が小部屋に寄るよう声をかけてきた。

「奥さん。ちょっといいかい」

「何かありましたか」

　カスミの期待を受けて、浅沼は困ったように頭を掻いた。だが、その目には好奇心も見え隠れしている。

「実はね、道内で有香ちゃんにそっくりな子を知っているという情報があったんだわ」

「どこですか」カスミは意気込んだ。

「留萌郡喜来《きらい》村」

　立ち竦むカスミに、浅沼は続けた。

「しかも、三十年前の話だっていうんだわ」

　それは自分のことだ。自分の幼い時にそっくりな有香の顔を見て、子供は時間を連れて来る、と思ったことがあった。過ぎ去った時間がここにも立ち現れてきたのだ。カスミは茫然とした。

「あんたのことでないかい」

「そうです」

「あんた、そこの出身なの。本籍は長野ってあるからてっきりそっちかと思ってたけど」

「結婚したから夫の本籍に入ったけど、私は留萌郡の出身なんです」

「そうかい。その電話をくれた人は、行方不明の子供にそっくりな娘は随分前に村からいなくなったって言ってたよ」

「ちょっとうまくいかなくて」とカスミは口籠もる。まさか電話の主が両親ではないだろうかと心配だった。「高校卒業してから帰ってないんです」

「まさか、あんた家出人でないだろうね」

「いいえ、そんなことはないです。あの、電話をくれた人は何という人ですか」

浅沼は平凡な名前を告げた。カスミの知らない名前だった。カスミは両親でなかったことに安堵しながらも、捨てた故郷にこんな形で発見される悔しさを噛み締めていた。

「あのう、私のことその人に言わないでください」

「それはいいけどね。あんた親不孝したら駄目でないの。因果は巡るんだから」

カスミは、両親にとっての自分は、ある日突然いなくなった有香と同じだったのかと初めて思い至ったのだった。因果は巡る。他人がそう考えているという発見は辛いものだった。

数日後に帰京を控えて、支笏湖畔の道をカブで走りながら、カスミは突然、湖の水量を膚で感じた気がして湖面を振り返った。だが、湖は普段と変わらず、波ひとつなく静まり返っている。あの底にある骨の森に、有香が住んでいるのかもしれない。石山の釣る魚みたいに。これまで考えたこともない想像が不意に湧いた。恵庭署が湖の捜索をしていることも知ってはいたが、カスミは有香が誰かに囚われているに違いないと思い込んでいたのだ。

カスミはカブを道端に停め、動悸を静めて湖面を眺めた。細かいさざ波の立つ膨大な水の溜まりを眺めていると、気配に取り囲まれていく感じがして怖ろしかった。カスミの胸に言葉にならないほどの深い怒りが嘔吐のように込み上げてきた。カスミは思わず岸辺に駆け降り、湿った土の上で激しい地団駄を踏んだ。どうして有香がこんな目に遭わなくてはならないのだ。浅沼の言うように、自分が両親を捨てたからなのか。自分が石山と密会したからか。自分の罪のために娘を奪われたというのなら、とことん戦うまでだ。

カスミは水際の丸い石を拾って湖に投げ付けた。石はたいして飛ばず、水音もしないで湖に飲み込まれた。それが自分の無力さを表している気がして、カスミは幾つも幾つも石を投げた。

私はたった一人でここにいる。有香もたった一人でどこかにいる。

怒りはやがてとてつもなく大きな悲しみに変わっていった。カスミは石ころだらけの岸辺に突っ伏して号泣した。カスミの漂流はここから始まったのだった。

第三章　漂流

1

　カスミは、闇と騒音から抜け出たことにほっとして顔を上げた。地下鉄東西線は中野駅に近付いて地表に出たところだ。だが、ようやく見えた空は夜と見紛《みまが》うほど暗い。ガラス窓に大粒の雨が当たって、太い水の筋が背後に流れ去った。当たるものすべてがぱちぱちと爆《は》ぜるような、激しい雨が降ってきていた。車両は雨滴を左右に振り落として、中野駅のホームに滑り込む。夕立に捕まってしまった。カスミは降りる準備をしながら、どこかで傘を買わなくてはならないと考えていた。たとえ傘があっても、この雨足ではずぶ濡れになるのは間違いない。駅の階段を駆け降り、腕時計を覗く。すでに五時を過ぎていた。雨宿りをしていきたくても時間がない。これから用事を済ませ、その後すぐ、武蔵境の学童保育クラブまで梨紗を迎えに行かなくてはならないからだ。こういう時はつくづく、時間にも気持ちにもゆとりのない生活をしていると実感され、情けなくなる。

カスミはキヨスクで青いビニール傘を買った。傘を握った指にきらきらする白い粉が付着した。擦り合わせると、上新粉のように粉がきゅっと軋む。少しの間、カスミはちゃちな傘を手にしたまま、駅の構内で立ち竦んでいた。しぶきが跳ねて、軒下まで濡らすほどの雨の勢いに気圧されたせいだ。悲鳴を上げて構内に飛び込んで来る客は皆、水浴びでもしてきたかと思われるほど、髪も服もびしょ濡れだ。暫く出ないほうがいい、と思案しているカスミを見て中年男が声をかけた。カスミの顔が一瞬緩んだが、すぐにまた、綱渡りをしている人間のように張りつめた顔に戻る。有香がいなくなってから、カスミの顔には快楽とは無縁な不思議な表情が貼り付いている。

カスミは首を伸ばして雨空を見上げた。雨は到底止みそうにない。タクシーを使えたらどんなに楽だろう。いつも時間に追われているのと同様、家計も余裕はないのだった。だが、今日は十一日なのだということがカスミの気を簡単に変えた。十一日なのだから、タクシーを使ってでも敏速に動くべきだ。十一日なのだから、けちけちすると後悔することが起きるかもしれない。十一日だからこそ、迎えの必要のない学童クラブにまで梨紗を迎えに行く。それは、かつて取り返しのつかない思いをしたことから生まれてきた切実さを帯びた感情だった。カスミは買ったばかりの傘を開き、決意を徐々に固めつつタクシー乗り場までの道のりを歩いて行った。

タクシーは数分で昔のカスミの住処《すみか》、「中野コーポラス」の前に着いた。玄関先で待つよう運転手に頼んで、カスミはエントランスに入って行く。結婚してから二年前まで、八年間も住んでいたマンションのことはすべて熟知している。全部で八十四戸。郵便受けは勿論のこと、ごみ捨て場の鍵の暗証番号までまだ覚えていた。二ＬＤＫの間取りは決して広くはなかったが、中野駅に近いので共働きの自分たちには便利だった。

カスミは、自分たちの部屋だった番号が記された郵便受けを眺めた。そこに何か大事なものが届いていないか確かめたい欲望が募る。顔馴染みの管理人はすでに帰ったらしく、管理室の窓には陽に灼けた白木綿のカーテンが引かれている。カスミは人影がないことを素早く確かめてから、暗証番号を回し、郵便受けのステンレス扉をそっと開いた。ＤＭとチラシが積み重なっていた。がっかりして、また閉じる。

管理室の横にコルクボードがあって、住人のための掲示板になっている。カスミは隅に貼られた一枚の小さな紙に目を遣った。写植で打った文をコピーしただけの簡潔なメモだった。それはまるで葬儀の案内のように、触れると罪科があるといわんばかりに落書きも悪戯《いたずら》もされていなかった。汚れも染みもなく、ひと月前と同様、何の変わりもなくそこにしんと貼ってあるのを、カスミは逆に落胆して眺める。この紙を新しいものと交換し、管理人に変わったことがなかったか聞くのがカスミの毎月十一日の仕事なのだった。以前は気の毒がって話をよく聞いてくれた管理人も、最近は避けるようになった。人はあらゆることに慣れていく。カスミは悲しみとも諦めともつかない感情で、他人の無関心さを思う。

『ゆかちゃんへ
おとうさんとおかあさんはここにかいてあるじゅうしょにひっこしました。
みんなでずっとまってるから、かならずれんらくしてね。

むさしのし　さかいまち　6─3─6
でんわ　0422─36─00××

もりわき　みちひろ
カスミ
りさ』

玄関ドアが開けられて、激しい雨の音と湿気の匂いが入り込んできた。カスミが振り向くと、男の幼児を連れた赤いレインコートの女が会釈した。傘を畳んで、カスミに話しかける。
「ひどい雨ですね」
「ほんとに」

傘から滴が垂れて、あっという間にタイル張りの床に水溜まりが出来た。レインコートからもぽたぽたとひっきりなしに水が垂れる。メモの画鋲を留め直しているカスミの背に、女が声を潜めて聞いてきた。

「失礼ですが、この貼り紙の方ですか」

「そうです。森脇と申します」と振り向く。

女は好奇心を隠さずに、カスミの目をまっすぐ見つめた。

「あの、いったいどうされたんでしょうか。私、去年引っ越してきたんですけど、いつもこの紙が気になって仕方がなかったんです」

「うちの娘が北海道で行方不明になりまして」

女ははっとして苦しそうに胸を押さえた。

「北海道でですか」

カスミは慣れた口調で淡々と話した。

「ええ。知り合いの別荘が支笏湖のそばにありましてね。そこで、朝、突然いなくなったんです」

「お気の毒ですねえ。お嬢ちゃん、幾つだったんですか」

「五歳でした」

「警察は？」

「勿論、捜索してくれました。警察犬まで出たんですけど、とうとう行方がわからなくて」

「事故なんですか」

「事件なのか事故なのかもわかりませんでした」

「まあ」女は絶句した。「いつのことですか」

「もう四年前なんですよ。ここに住んでいたんですけど、一昨年引っ越してしまったんで気になりましてね。子供が帰って来たら誰もいなくて可哀相だと思って」

「そうですよねえ」

若い母親は我が子が今にも消えてなくなりはしないかと怖れるように手をしっかと握り、目に涙すら溜めた。

「管理人さんが親切な方で、ここに貼りなさいとおっしゃってくれたので、毎月十一日には見に来ることにしてるんですよ」

「十一日ですか」女は怪訝な顔をした。

「ええ、八月十一日にいなくなりましたから、今日が七月十一日でしょう。あと一ヵ月でちょうど丸四年ですね。もう九つになりました」

女は無言で重苦しく頷いたが、「生きていたら……」と心の中で考えているのだろうとカスミは想像した。「生きていたら」。この言葉が人々の間での禁句になっているのはわかっていた。誰も有香が生きているとは思っていない。だが、カスミだけは、有香はどこかで生きていると信じている。それは今や、信念どころか信仰に近いものになり、カスミの行動を律したり、勇気を与えたりしている。有香を見失ってすぐ、おろおろと嘆いていた頃は生存は希望でしかなく、それも一寸先も見えない絶望の闇に囚われればたちまち消えてなくなる儚《はかな》いものだった。

「どこにいるのかわかりませんけど、もう三年生ですから字も読めるでしょうし」

カスミの言葉に、女は困惑したように曖昧に頷いた。

「見付かるといいですね」

「ええ。何か情報がありましたら、ここにお電話くださいね」

「それはもう」

重苦しさから解放された緩んだ表情が、女の顔に浮かんでいた。それを無視して、カスミはマンションを出た。雨足は少し穏やかになっていたが、激しさが失せた分だけけろりと上がる予感も消え去り、完全に雨降りの夜に変わっていた。

待たせてあったタクシーに乗り込み、「先の信号を左へ」と告げる。動き出すと、カスミは車窓に額を付けるようにして、かつて自転車に娘を乗せて送り、迎えに走った思い出のある、雨に濡れた暗い道を眺め続けた。そしてもうひとつの思い出もここにはあった。石山との短い逢瀬のために自転車を走らせた道。

「ここで待っててください」

カスミは繁華街にある煉瓦造りの雑居ビルの前でタクシーを停めた。傘を差さずにビルに駆け込む。小さなエレベーターホールに飲み屋や美容院の看板が雑多に出ているが、その横に中野コーポラスにあったものと同じメモがひっそりと貼ってあった。こちらのメモもちっとも汚れてはいない。しかし、場違いな場所にぽつんとある寂しさを漂わせていた。

この雑居ビルの一番上の階に無認可保育所があったのだ。そこに有香は三年間通っていた。万が一、有香が幼い頃の記憶を辿ってこちらに帰ってきたとしても、気落ちさせてはいけないとカスミは考えたのだった。車に戻ると、カスミの様子を窺っていたらしい運転手が物問いたげな表情をした。

「忘れ物ですか」

「ええ、まあ」

適当に返事をしながら、カスミはその通りだと自答している。これまでずっと、四年間も忘れ物を探し続けている。あの刹那の自分は子供を忘れてもいい、捨ててもいいと思ったのだから。カスミは胸の中に重い塊を感じて息を吐いた。このようなささいなことをきっかけに、カスミの想念はいつもの虚しい堂々巡りを始めてしまう。運転手が愉快そうに口を挟んだ。

「それとも、猫ちゃんがいなくなっちゃったとか」

カスミはワイパーが忙しげに動いているフロントガラスを見つめていた。誰が何を忘れたのか、自分の探しているものがいったい何なのか、よくわからなくなったからだった。確かに、有香という名の娘を探し続けている。が、四年経った今、カスミは有香だけではない何かを見失ってしまったのだと思った。それが何かはわからない。運転手はまずい質問をしたと感じたのか、「五日市街道から行きますから」と口早に言っただけでだんまりを決め込んでしまった。しんとした車内でカスミは目を閉じた。

「駅のどちらに付けますか」

疲れていたため、寝入っていたらしい。いつの間にか武蔵境に着いていた。街明かりに透かして腕時計を見ると、六時を過ぎている。カスミは学童保育クラブのある児童館の方向を告げて、ついでにそこでも待っててもらうことにした。タクシーを奮発して自分は楽をしたというのに、渋滞のせいで迎えが遅くなったことに呵責《かしやく》を感じた。妹の梨紗のことはいつも二の次で、いなくなった有香のことばかり考えている自分に対する呵責もないではなかった。

急いで児童館に入って行くと、梨紗はランドセルを背負い、焦れたように玄関で足踏みしてカスミを待っていた。他の子供たちはすでに帰り、梨紗だけが居残っている。カスミは梨紗の短く切った髪に手で触れた。小学一年生の梨紗はすらりとした体付きで、男の子みたいに活発だ。だが、有香の鋭敏さはない。密かに比べる自分がいる。あの子がいたら調和が取れたのに、と思うのはこんな瞬間だった。

梨紗の全身から給食に出るシチューのような、乳臭い匂いが漂っていた。久しく嗅がない匂いだった。カスミは懐かしさに捕らわれて立ち止まった。子供たちは、朝は家の匂いをさせていても、夕方になると保育園の匂いに染まっているのだった。有香もあの無認可保育所でそうだった。ただ、有香の場合はおやつに出るスナック菓子の匂いをさせていることが多かった。それも切ない思い出のひとつだった。

「雨降ってるよ、お母さん。傘は？」梨紗は唇を尖らせた。

「タクシーで来たから大丈夫。先に乗っててね」

「どうして」梨紗は不安そうにカスミの顔を見た。「どうして先に乗るの」

「お母さんは先生とお話があるから」

「何のお話」

「今日は十一日でしょう。だから」

「ああ、有香ちゃんのことね」

今日は自分たち家族にとって、特別な日だった。失踪した当時の有香の年齢を追い越した梨紗は、姉をこう呼ぶようになっていた。カスミはその不思議さに時々絶句することがある。梨紗は諦めた素振りでさっさと一人で出て行った。いなくなった有香のことが生活のすべてにおいて優先する、と梨紗は物心ついた時から学んでいるのだ。

　児童館は、靴箱も簀《す》の子も何もかもが児童サイズで小さい。カスミは巨人になったような気分で靴を脱いだ。来客用のスリッパに履き替え、奥の職員室に向かう。クラブの先生はもう二人しか残っていなかった。カスミは顔見知りの主婦パートの指導員に挨拶した。

「先生。今日、十一日ですけど、何か変わったこととかありませんよね」

「十一日？」トレーニングウェア姿の三十代の教師は、戸惑ったように黒板のスケジュール表を眺め、それから同僚の顔を見た。「何でしたっけ」。カスミには、同僚が素早く目配せしたように見えた。

「あの、今日は上の娘の有香がいなくなった日なんです」

　有香は保育園児の時に失踪したから児童館とは無関係なのだが、それでもカスミは、毎月確かめずにはいられなかったのだ。

「あ、はい。何もなかったです、このひと月。気が付かなくてごめんなさいね」

「いえ、念のためなんです。それじゃまた」

「はい、さようなら」

　この話が終わると、どうして皆、鬱陶しいことから解放されたようなさばさばした声や表情に変わるのだろうか。ほんのちょっと垣間見た暗黒から、明るく安全で、当たり前の日常に戻っていくから安心するのだろうか。娘がいなくなった自分たちの日常はずっと暗黒だということか。

「お母さん、タクシーでお迎え来たの初めてだね。どうして。十一日だから?」

「ううん、雨が降ってきたからよ」

そう答えたものの、十一日でなければタクシーは使わなかったという事実を、カスミは一瞬忘れていた。自分たちの日々の生活が皆と同じ、明るく安全なものに変わるのはいつだろうと考え込んでいたからだった。


その夜、道弘はいつになく帰宅が遅れていた。自分が帰ってから急ぎの仕事が入ったのだろうか、とカスミは心配しながら米を研いだ。カスミは夕食の準備のために、一足先にモリワキ製版を出ることにしていた。有香の分の茶碗や箸も揃え、カスミは梨紗と簡単な夕食を終えた。有香がいつ戻って来てもいいように、食事は必ず一人分余計に用意している。洗い物を済ませ、カスミは北海道に電話をかけた。最初は水島のところだった。

「もしもし森脇ですが……」

「あ、どうもどうも」しまいまで言い終えないうちに水島の大きな声が聞こえてきた。姿勢の良さが窺えるような子音のはっきりした発音だった。「皆様、お元気ですか」

「はい、元気にしてます。あの……」

カスミが質問を発する前に水島が遮った。

「もう十一日なんですね。カレンダーに印つけてますから、いつ電話が鳴るかと楽しみにしておりました。楽しみなんて言ったら、奥さんには申し訳ないですが」

「そちらはどんなお天気ですか」

「今日は快晴です。気温二十六度、湿度十八パーセントでございましてね。雲ひとつない、実に夏らしい、いい日でした」

カスミはその空の下を一人歩く有香を密かに想像した。想像の中の有香は、いつも幸福そうで満ち足りた様子だった。

「何かありませんでしょうか」

「特に変わったことはありませんですねえ」水島は申し訳ないというように悲しい声を出した。「ただね、別荘にある看板の写真ですけどね。あれは有香ちゃんが五歳の時のでしょう。あの写真はすごく可愛いと、自分思いますですけど、今はもう大きい訳だから、どうかなと思ったですね」

「そうですね。顔が変わっているかもしれない」

カスミはメモに書き留めた。有香が消えた石山の別荘前に、『この辺りで女の子を見かけた方はご連絡ください』という看板を掲げてくれたのは和泉だった。

「はい。それから、豊川さんが突然遊びにいらっしゃいましてね。驚きましたです」

「豊川さんが？」

カスミは藍色の空を背に立っていた一家のことを鮮やかに脳裏に浮かべた。長男はもう大学を出たことだろう。まだあの薄笑いを浮かべているのだろうか。

「はあ。商売は相変わらず繁盛とかで羽振り良かったですよ。坊ちゃんは信金に就職したとかで髪の毛切られたそうでね。豊川さん、気にしておられましたですよ。有香ちゃんどうしたかなって。あの事件は皆さん、傷になっておいでですね」

「そうでしょうね」

「すみません。森脇さんが一番苦しいのにこんなことを申しまして」

「いいんです。ところで、和泉さんの奥様はお元気ですか」

「はあ、お元気です。昨日も札幌まで映画を見に行くとおっしゃいましてね、お連れしました。十二月には三回忌ですからねえ。早いものです」

和泉正義は倒産の憂き目に遭い、一昨年、釧路の猟場で猟銃自殺したのだった。カスミはその報を聞いた時、和泉が別れ際、カスミに言った「責任を取る」という言葉を思い出した。自殺の原因は倒産だと言われていたが、和泉は有香のために死んだのだろうかと思うことがあった。

「お気の毒なことでした」

「社長は責任感強かったですからねえ」水島はしみじみ言う。

別荘地は経営母体が替わったが、水島は引き続き管理事務所に勤めている。しかし、買い手がなく、今は和泉の自宅一軒しか残らないゴーストタウンと化している。水島は一人残された蔦枝の使用人といっても差し支えない境遇だった。もしかすると、あの妖艶な未亡人と一緒に住んでいるのかもしれない。

「あのう、奥さん」と、水島が言いにくそうに言った。「これから和泉の奥様のほうにもお電話なさるんで」

「はい、そのつもりですが」

「こんなこと申し上げて気を悪くしないでいただきたいんですが」水島は言葉を選んでいる。「あのですね、奥様は少々体の具合が悪いんでございますよ。ですから、もう奥様にはお電話しないでいただけませんでしょうか」

「どういうことでしょう」

「有香ちゃんのことは私が責任を持って捜索を続けますんで、奥様はどうぞそっとしておいてください」

「私の電話がご迷惑なんでしょうか」

「いや、そういうことではなくてですね。奥様は毎月奥さんから電話が来ますと、責任を感じてお辛いらしいんですよ」

「私はただ、何かないかと」

「わかっておりますとも。お気持ちは痛いほどわかります。ただですねえ、こう毎月決まってありますと落ち込む人もいるんですよね」

有香の失踪など、蔦枝には関心のないことなのだ。薄々わかってはいたが、カスミは何も摑むものがなく暗い谷底にずり落ちていくような脱力感に囚われた。こうして有香の存在は皆に忘れ去られていく。自分の問題が、他人にとってはどうでもいいことなのだと感じる時は、言いしれない孤独感が増していたたまれなくなるのだった。

「申し訳ございません」水島は電話の向こうで平身低頭しているかのように、悲痛な声を出した。「本当にお気持ちを傷付けて申し訳ございません」

「いえ、いいですよ」

「申し訳ありません。でもね、奥さん。私が必ず有香ちゃんを見付けますからご安心ください。ところで、来月、こちらにいらっしゃるのでしょう?」

「ええ、行くつもりです」

カスミは毎年八月に現地に行くことにしていた。

「そうですか。じゃ、楽しみにお待ちしております」

楽しみ。それでは、まるで行楽に出向くみたいではないか。カスミは誰にも告げることのできない、たとえ告げたところでわかってもらえない違和感を、放射できない熱のように持て余した。そして、有香の失踪に関わった人間たちが皆、この事件を過去に葬りたがっているのだと感じた。

いつ帰宅したのか、目の前に夫の道弘が立っていた。一足先に職場を出たカスミが見た時より萎れていた。五十近くなって、道弘の顔にはいくら拭っても消えない疲労感が彫り込まれている。痩身がますます枯れて細った。有香ばかりでなく、近頃、経営がうまくいってないことが心痛なのだ。かつての石山のように、道弘の職人仕事を褒めてくれる者もなく、今や需要すらなくなりつつあった。同業者がどんどん廃業している現在では、生き残りさえ難しい。カスミが社員をリストラしてパソコンを導入し、経営を立て直しかけたこともあったが、有香の失踪でそれどころではなくなり、ささやかな改革は立ちどころに頓挫していた。最後の社員も今年辞めて、道弘一人が細々と仕事を続けている状況だった。

「お帰りなさい」カスミは受話器を戻した。「私もさっき帰ったところよ」

「そうか。急ぎの仕事が入ったから、今夜はこれからまた行くよ」

生き残るには、大手製版会社の下請けとして、火急の仕事を受けるしか今のところ方策がなかった。それはおおむね、若い人が嫌がる徹夜仕事の受注だった。

「大変ね。私も行きたいけど、今夜は緒方先生のところに行かなくちゃならないから」

「またか」

道弘は顔を歪めたが、カスミは無視する。

「それより、石山さんに電話してくれた？　今日は十一日よ」

石山と現地の警察に電話を入れて様子を聞くのは、道弘の分担になっていた。

「今朝したよ」道弘は急に重力を感じたように顔を上げなかった。「したけど、誰も出ないんだ」

「じゃ、私がしましょうか」

「いや、いいよ。実は言ってなかったけど、数ヵ月前から連絡が取れないんだ。どこかに移ったんだと思う」

カスミは道弘の顔を凝視した。

「自宅は？」

「電話しても最近誰も出ない。俺も面倒だから嘘吐いてたんだ」

それなら早急に連絡を取って、何事もなかったか聞かなくては気が済まない。カスミは焦って爪を噛んだ。自分が毎月十一日に妙にこだわっていることは承知していた。しかし、こうしてパズルをひとつひとつ埋めていかないと、カスミは前に進めない気がしてならない。

「たぶん引っ越したんだよ」

「連絡先はわからないの？」

「ああ」

「じゃ、有香のことはこれから誰に聞けばいいの」

「もういいよ、それは」道弘は小さな声で吐き捨てた。「あいつらはそっとしておいてやろうよ」

「なぜ」

「いつまでも責め立てられるような気がして、気分が良くないだろう」

「でも、電話くらい出てくれたっていいじゃない」

カスミは思わず大きな声を出していた。部屋の隅でテレビを見ていた梨紗がいたたまれないという風に部屋を出て行った。まるで火傷の火膨れを突くと出てくる漿液《しょうえき》みたいに、突然カスミの本心は膜を破って現れる。特に今日は、カスミの心の膜は容易に破けてしまう。道弘は話を変えた。

「浅沼さんには電話しといたよ。だけど、情報は何もないと言ってた」

浅沼は恵庭署の担当の刑事だった。

「ゴルフばっかりしてるんだもの」

道弘は苦笑したが、カスミは本気で怒っていた。浅沼が有香の捜索にあまり熱心ではないからだった。

風呂場から水音が聞こえる。職場にとんぼ返りする前に、道弘が使っているのだろう。

その隙に、カスミは電話の受話器を取り、短縮ダイヤルのボタンを押した。石山の会社の番号だった。事件後、広告代理店を辞めた石山は、横浜でアウトドア用品の仕入れを始めた。商売はうまくいっているという噂だった。しかし、何度かけても「現在使われていない」というアナウンスが執拗に繰り返されるばかりだ。石山の自宅にも電話をしてみたが、誰も出ない。胸騒ぎがした。カスミはアドレス帳を繰り、思い切って典子のオフィスにも電話をしてみた。

「はい、Kデザインオフィスです」

八時過ぎだというのに、残業でもしていたのかうまい具合に典子自身が出た。

「典子さん、カスミです」

典子と話すのは事件以来だった。典子が息を飲むのがわかった。

「カスミさんなの。お久しぶり。有香ちゃんどうですか」

「見付かってません」

「そうなの。お気の毒ね」

典子は沈んだ声を出した。電話の向こうから同僚たちの弾んだ話し声が聞こえてくる。

「石山さんはどうされたんでしょうか。今日は十一日なのでお電話したのですが、誰も出なくて」

「ああ、ご存じないのね」典子が疲れた様子で声音を低くした。「実は私たち一年前に離婚したの」

「知りませんでした」カスミは茫然とした。

「じゃ、あの人と切れたのね？」

典子は囁き声だったが、単刀直入に尋ねた。離婚を経て、典子も心に刃を持ったようだとカスミは重たく受け止める。

「はい。あの時は申し訳なかったと思ってます」

「いいの。有香ちゃんがあんなことになってあなたも大変ですもの」

まるであいこだと言わんばかりの理屈に、カスミは黙る。典子の悪意が時を経て噴出することに耐えられなかった。

「じゃ、石山さんはどうしてるんですか」

「さあ。連絡がないからわからないんですよね。借金抱えて大変だと思うわ」

「借金があるのですか」

「そうなの。結局、仕事がうまくいかなかったらしいのね。私はそうなる前に目黒の家を貰っておいたんだけど、最近引っ越したんですよ。ここと子供の学校の中間に」

その場所を典子は教えてくれなかった。カスミは礼を言って電話を切った。石山は「整理するまで待ってくれ」と別荘前の階段でカスミに懇願した。石山は整理を済ませたのだ。仕事と家族を失い、自身もどこかに消えて。今どこで何をしているのだろうか。

その想像は有香にも通じていた。二人とも、どうしているのだろうか。カスミは四年前の夏の孤独を思い出している。

「誰に電話してたの」

Tシャツにトランクスという姿の道弘が髪を濡らしたまま前に立ったので、カスミは我に返った。

「和泉さんの奥さん」嘘を吐いた。

「何だって」

「もう電話しないでって言われた」それだけは真実を伝える。

「気にするなよ。みんな、慣れてきたんだ」

「慣れるって何に」

カスミは顔を上げて道弘の目を見つめる。道弘はタバコに火をつけ、煙を吐きながら皮肉な口調で答えた。

「この事態に。みんな俺たちほど深刻じゃない、ただそれだけさ。世の中そんなもんだよ。なあ、毎月十一日にあちこち電話するのも、もうやめにしないか」

「どうして」

「今年で四年目だ。皆もうんざりしてるだろうし、何かあったらあっちから連絡をくれるに決まっている。だから、やめようよ。それに、お前だってもう少し現実を受け入れて生きていくほうが幸せだと思うよ」

道弘が何を言いたいのか、カスミにはさっぱりわからなかった。

「私は現実を受け入れていると思うわ。有香がいなくなった現実。ちゃんとこうやって生きてるじゃない？　あの時はもう死んでしまおうかと思うほど辛かったわ。生きてるだけでも充分受け入れてる証拠じゃない？」

「だけど、俺たちが死ねないのは梨紗がいるからだ。そして、有香が行方不明だからだよ。そうだろ。あの子の生死がわかるまでは死ねない。そうだろ」

「そうよ」

「そんなのは本当に生きてることじゃないよ。お前は有香が絶対生きているという希望を持っている。だから、いつまでたっても、この運命を受け入れられないんだ。つまり、お前は現実を本当には受け入れてないんだよ。夢の中で生きてる。ね、それじゃいつまで経っても終わらないじゃないか。絶望することも必要なんだ」

「絶望するってことは、あの子が死んでるってことだもの」

「それを認めるのが辛いのはわかる。じゃ、これからの人生もそうやって探し続けるのか」道弘は疲れた様子で瞼を擦った。「俺はね、少々くたびれたよ。有香のことは可哀相だが、もう仕方がないと思うこともある」

「諦めたのね」

カスミは夫の裏切りを感じて、眉根を寄せた。一気に深い悲しみが湧き上がる。カスミの表情の変化を道弘は痛ましそうに眺めた。

「諦めに近いものがある。あれだけ探してもいないんだから、今は本当に神隠しにあったのかもしれないと思うこともある。それに、いつまでもお前がそんな状態なんだったら、俺や梨紗はどうなるんだ。お前がそうやって希望を繋いで夢の中にいるうちは、生きている人間は永久に我慢していることになる」

「それ、どういうこと」

「なあ、そろそろ俺と梨紗を赦《ゆる》してくれよ。いや、石山たちのことも」

「赦すって？」

カスミの顔色は蒼白になった。道弘は続けた。

「お前は誰も赦してないんだよ、一度も。だから、そんなに辛いんだ」

「よくわからない。説明してくれなくちゃわからない」

「お前は俺が目を離した隙に有香がいなくなったことが赦せない。梨紗がおしっこしたいと言ったことが赦せない。それから石山が別荘に誘ったことが赦せない。そうじゃないか」

道弘は目を伏せたまま早口になった。

「違う」

カスミははっきりと否定した。あまりにも的外れだった。誰にも赦されないことをしたのは自分であり、石山だった。しかし、それは同時に赦されることでもあった。周囲には赦されない裏切り行為でも、石山と自分はそのために生きていたのだから。カスミには自分も含めて、赦さない人間などいない。

「どう違うのかねえ。ま、いいや。今度話そう」

道弘は溜息混じりに部屋を出て行った。カスミは居間の真ん中に突っ立ったままだ。部屋は明るいのにも拘らず、暗い夜の海をたった一人で漂流しているような頼りない気がした。かつて思いを共有したはずの石山でさえも、陸地に向かって泳いで行ってしまった。

カスミは道弘が職場に戻った後、梨紗を寝かし付けて家を出た。雨はまだ降っている。傘を差し、暗い住宅街を歩いた。ちまちまと小さな建て売り住宅が並ぶ一角を過ぎて、長屋形式の古い都営住宅を抜ける。やがて一軒の古びた平屋が見えてきた。表札には「緒方」とある。カスミは緒方の家に近いからと、わざわざ中野から武蔵境に引っ越したほど、緒方という初老の男のもとに通っていた。緒方の家の庭先に大きなバスが無理矢理填り込むように尻を出して停まっている。バスは中古で車輪がない。母屋は真っ暗だが、バスの中は発電機によって、まるで夜店のような青白い照明が煌々《こうこう》と灯っていた。

「こんばんは」

カスミはバスのステップのところに濡れた傘を置いてドアをノックした。ドアにはプラスチックのプレートが貼り付けてあり、そこに「パラダイス会」とマジックで書いてあった。

「どなた」と男の声がする。

「先生、森脇です」

「カスミさんか。どうぞどうぞ」

カスミよりも小柄な初老の男が、折り畳み式のドアを開けた。バスの中は窓を閉め切っているせいで蒸し暑い。扇風機が首を振って車内の生温《なまぬる》い空気を攪拌《かくはん》していた。

「暑いでしょう。蚊が入るんで窓閉めたの」

「夜分にごめんね、先生」

カスミは傘から出ていたTシャツの片袖が濡れているのを気にしながら中に入った。先客がいて、中年女性が二人、隅で静かに聖書を読んでいた。カスミは女たちに会釈して緒方の前に正座した。緒方は、白い開襟シャツ、灰色のズボン姿で小さな座布団の上にちょこんと座っている。その服装は年中変わらず、冬はその上に肘の抜けたジャケットや、毛玉だらけのセーターを羽織るだけという質素さだった。六十歳を少し過ぎたくらいだが、眼差しは強く、顔付きは若い。

「今日は十一日だね。何かあったの？」

緒方は今日はカスミにとって重要な日だということを覚えていた。カスミは頷いた。

「そう、いろいろと」

「いいことじゃないね」

「ええ。石山さんが離婚してたの。それも借金があって行方がわからないって奥さんに言われた」

「石山さんが？」緒方は信じられないという顔をした。「どうしたんだろうねえ」

ここでは道弘に話せないことを全部話していた。カスミは緒方の信ずるキリスト教の信者ではなかったが、緒方を相談相手として日参していた。

「あの事件の後、典子さんとうまくいかなかったんでしょう」

「だって、あんたそれを望んでいたんじゃないの」

「いいえ」とカスミは首を横に振る。「私はただ、一緒に有香を探してほしかっただけなの」

「そんなの子供みたいだね」

「どうしてですか」カスミはきっと緒方の顔を睨んだ。

「いやいや」緒方は苦笑し、カスミを宥《なだ》めるように右手を取った。「それで、あんたはそのことをどう思ったの」

緒方の掌は、蒸し暑いのに汗ひとつかいていない。滑らかな掌にくるまれてカスミはほっと安心する。

「やっぱりと思ったけど、すごく寂しかった。前の私は何があっても平気だったんだけど、有香がいなくなってからはてんで意気地がなくなっちゃって、私が私じゃなくなったの。耐えられないの」

「そんなの当たり前じゃないの」緒方はカスミの手の甲を擦った。「当たり前なのよ。人間なんて弱いものなんだから。前のあんたが強過ぎたんだよ。私は今のあんたのほうがぼんやりしてて好きだよ」

「でも、私は嫌い」

「自分を嫌いなうちは本当の幸福は訪れないんだよ」緒方は断言した。

「それも仕方がないわ。だって、私は今の私が嫌いなんだもの」カスミは駄々っ子のように繰り返した。「本当に嫌い。すぐにたじろいでしまうんだもの。私はいったいどうしちゃったのかしら」

「とても痛い目に遭ったからでしょう」緒方は真面目な顔でカスミを正面から捉えた。

「仕方ないのよ。もとに戻るには時間がかかるのよ」

「先生、心が落ち着くにはどうしたらいいのかしら。私、十一日はいつも一日中変なの」

「どう変なの」

「この日をもう一度やり直したいと思ったり、失敗は許されないと思ったり」

「でも、やり直せないじゃないの。そういう時はどうするの」

緒方は笑った。笑うと前歯が数本抜けているのが見える。

「どうにもならないわ。ただ、それで一日が過ぎていく」

たどたどしく説明しながら、自分は不幸だ、とカスミは思っている。どうしたらいいのか。出口はまったく見えなかった。

「ねえ、何かあんたが欲することを祈ったらどう？　あんた何を欲してるの」

「有香が見付かることです」

「あとは」

「私がどうやったら楽になるかということ。私は先生に話している時しか、楽しくないんだもの」

緒方は手擦れで端が丸くなった黒い聖書をそっと撫でた。カスミはそれを横目で見ながら雨の音を聴いている。

カスミは、おかしな想像をすることがある。有香が何者かに姿を変え、いつかきっと自分の前に現れるのではないかという想像だ。その時、有香がどんなものになっていても、カスミには絶対わかるという揺るぎない自信がある。道端をうろつく子犬や塀の上の野良猫、造成地に咲くペンペン草に変わっていたとしても、カスミには有香だとわかる。たとえ窓を開けた時に入り込む朝の冷たい空気に混じっていたとしても、カスミにはそこに有香がいると感じることができるだろう。しかし、これだけ望んでいるにも拘らず、まだ有香はどこにも現れてくれないのだった。

2

毎年八月十一日が近付くと、道弘とカスミは梨紗を連れて支笏湖畔に向かうことにしていた。泉郷近くの宿に滞在して、有香が消えた山道を辿り、あちこち探し歩く。自分たちはいったい何を探しているのだろう、とカスミはいつも思った。成長した有香が歩く姿か。これまで知り得なかった情報か。あるいは、誰かが有香を連れ去った痕跡なのか。それとも有香の幻。カスミにとってはすべてだった。自分の犯した罪を逐一なぞることでもあった。石山との数え切れない逢瀬、二人だけの密かな約束、あの納戸での出来事、典子の苦悩を知りながらもやめられなかったこと、道弘の鈍感さを軽蔑したこと。

カスミに、もしかすると有香が物言えぬ何かに姿を変えているのではないかという想像が湧いたのは、昨年の夏だった。旧石山の別荘から豊川の別荘の廃墟を過ぎ、森を眺めていた時のことだ。可憐なシロツメグサ、ホオノキの若木、野ウサギ。果ては、踏みしめる乾いた土くれまでが有香かもしれないと思われ、カスミは弾む胸を押さえて目を泳がせた。だが、道弘はカスミが有香の名を呼びながら森を彷徨《さまよ》うのを、気落ちした様子で道路から眺めていた。二人は森の中と道路に分かれ、ほぼ平行して歩いていたのだ。

「何見てるの」

道端の月見草越しに二人の目が合った。

「いや、お前大丈夫かなと思って」

カスミは道弘の目を睨み付けた。

「私はおかしくなんかないわ。あなたこそ、あの子のお墓を探してたんでしょう」

「墓？」

道弘は急にぼんやりした顔になり、焦点の合わない目で周囲を見回した。

「あなたは浅沼さんと同じよ。有香は殺されて、この山のどこかに埋められていると思っているの。あなたたちの目付きは同じ。無意識に有香のお墓を探しているんだわ」

「そんなつもりはなかったが」道弘は口籠もった。

「いいえ、そうよ。だから、私はあの子の命を探すべきだと思ったの。たとえ、私だけでもあの子が生きてると信じてやるべきだと思ったの」

道弘は言葉が喉に詰まっているかのように口を動かしかけたが、何も言わなかった。カスミは夫に背を向け、更に森の奥に向かった。胸の裡《うち》は怒りに満ちていた。有香がどこかできっと生きているという希望があるから、自分たち夫婦は死ぬことも許されない。有香も自分たちも、生か死か、決着がつくまで永遠に宙空に漂っているようなものなのだ。こんなむごいことが運命だとしたら、絶対に受け入れることはできない。いや、受け入れてはいけないのだ、とカスミは思った。失った小さな時計を探し続けるからこそ、一緒の時を刻めるのではなかったか。道弘は脱落したのだ。

カスミはいつも、自分は有香という名の小さな時計を失ったのだと思っていた。子供は時間を表す存在だ。妊娠から一週二週と数えられ、十月十日で誕生すれば、その子の生きる年月が親の記録となる。豊かな未来がいっぱい詰まっている時間。そして互いの記憶のなかで風化する時間。それらすべてを刻むものが子供だった。カスミは一個の時計を人生から見失ったのだ。有香という時計は今どこにあるのかさえわからない。カスミは、自分自身の時計が、かつて包含していた有香の時計を欠落させたまま、ゆっくりと壊れてきているような恐怖を感じていたのだった。それが誰にもわかってもらえない恐怖。いや、一人だけいた。緒方が本質のところで自分を理解しているとカスミは信じていた。

七月も半ばが過ぎた。四度目の支笏湖行きが近付いてきていた。なかなか腰を上げようとしない道弘に、カスミは苛立った。

「飛行機の手配どうするの。チケット取れるかしら」

「そのことだけど、今年はお前一人で行ってくれないか」

「なぜ」

「金もかかるし、行っても無駄な気がする」

カスミは、ソファで漫画を読んでいる梨紗の耳を気にして、声を低めながら聞いた。

「無駄？　有香が死んでるみたいに言うのね」

「そういう訳じゃない。だけどね、俺はもうあそこに行くのは嫌だよ。行っても何もないから悲しくなるんだ。こんなところで有香がいなくなったのかと思うとやり切れない。お前はそうじゃないのか」

「私だってやり切れないわよ。でも、あの子のためにも、自分たちが行かなくてどうするんだという義務感があるの」

「わかるよ。お前が去年、俺が有香の墓を探しているんだと言ったことがあるだろう。あの時、もうここに来るのはやめにしようと思ったんだ。俺はきっとまた有香の墓を探してしまうだろう。有香が死んだと考えたい訳じゃない。生きていてほしいと願っている。だけど、気が付くと無意識にそうしているんだ。有香のことを終わりにしたいと俺が思っている証拠なのかもしれない。俺たちは梨紗を育てなければならないし、生きていかなくちゃならない。そのためには、有香のことは家で待っていたほうがいいと思う」

「私はあの土地に有香が一人でいるんじゃないかと思うと、いてもたってもいられないのよ」

「わかってるよ」道弘は何度も頷いた。「その想像は辛い。でも、生きているのなら何か情報が入ったっていいじゃないか。これまで何もないんだよ。警察だって、ずっと捜査を続けてくれている。だけど、何も出てこないじゃないか」

「あなたは有香が死んだことにして、新たに始めたいのね」

カスミは道弘の変化を憎んだ。

「始める？」道弘はひどく意外そうだった。「何を始めるというんだ。ひとつを終えようとしているんだ。それは意識的にそうしなければならないんだ。こないだ言っただろう。絶望することも必要なんだよ」

「どうして」

「意識しなきゃ終わらないからだよ。これはそういう問題なんだ」

「でも、緒方先生はそんなことを考えなくていいと」

カスミが言いかけると、道弘は憤懣が弾けたように顔を歪めて罵った。

「あの占い師か。俺はお前が可哀相だと思うから言わなかったが、お前があんなのを信じるとは思ってなかった」

「先生は占い師じゃないわ」カスミは静かに抗議した。「ただの宗教家よ。私は宗教を信じてる訳じゃない。先生が私のことをわかってくれるから嬉しくて行くだけ」

「それはいい。お前を支えているのはわかってる。でも、何をするにも金がかかるんだよ。雇った探偵や占い師にこれまで幾ら払ったと思ってるんだ。二百万以上は遣ってる」

「緒方先生はお金を取らない」

「そうだ。だけど手土産くらいは持っていくし、たまに寄付もするだろう。それに、緒方さんのためにうちは引っ越しまでしたんだ。有香を探すことが俺たちの未来にどれだけの負担をかけているか考えたことがあるか」

未来に負担。カスミはその言葉に激しく傷付いた。有香を探すことは、カスミが生きることと同義だった。将来の何かのために待つ、何かのために我慢する。カスミには未来を見通して準備することなどできない。これまでもしてこなかった。緒方は現在のカスミが必要としている大事な人間なのだった。黙り込むと道弘はすぐさま謝った。

「言い過ぎだったな、ごめん。でも、これだけはわかってほしいんだが、お前は梨紗がどういう気持ちで生きてるか考えたことがあるのか」

「あるわ。あの子にはいろんな我慢をさせて可哀相だと思ってる」

「だったら、少し前向きになろうよ。毎年、夏休みは有香を探すために北海道に行く。まだ小さい梨紗の夏休みをそんなことに使っていいんだろうか。たまには海にでも連れてってやったほうがいいと思わないか。有香のことは皆苦しんでるさ、でも何か変だよ。いつまでも、こんなことをしてていいんだろうか。仕事もうまくいってないんだ。これじゃ俺たちのほうが崩れていく」

言うだけ言って、道弘は梨紗の様子を見に居間を出て行った。一人取り残されたカスミは心を乱したままぼんやりしている。部屋の空気が淀み、生温い。

脱出。道弘が故郷の灰色の海と同じだと感じられた日々があった。石山が輝かしい存在で、石山と会うことがカスミの脱出だった。今、カスミはいなくなった有香という檻に閉じ込められ、出られない。

夜半、カスミは緒方のいるバスに向かった。照明は消されていたが、緒方が時々バスで寝ることがあるのを知っているカスミはドアを力一杯叩いた。

「先生、森脇です」

「はいはい。ちょっと待って」

慌てた返事がして、発電機のスイッチを入れた音がした。やがて、ぱっと照明がついた。ドアが開き、眩しそうな顔をした緒方がカスミの顔を闇に透かしている。青いサッカー地のパジャマを着ているのが幼い子供のようで不釣り合いだった。

「どうしたの、いったい」

緒方は急いで眼鏡を掛け、カスミの顔を心配そうに眺めた。

「森脇が今年は支笏湖に行かないと言うんです。行っても無駄だからと。無駄なんて言い方はあんまりじゃないかと思って」

そう訴えながら、言いたいのはそんなことではなかったとカスミは思った。だが、口を衝いて出る言葉は空中に拡散していき、うまく実を結ばない。

「まあまあ入んなさい。中で話しなさい」

緒方は宥め、カスミの手を取ってバスに請じ入れた。窓は開け放され、蚊取り線香が焚かれていた。遠くを走る車の音と虫の音が聞こえてくるだけで辺りは静かだった。緒方は赤いパンチカーペットを敷いた床に薄縁《うすべり》を敷き、タオルケット一枚で寝ていたらしい。カスミは薄縁の横にぺたんと座った。

「すみません、こんな遅くに来るつもりはなかったんだけど」

緒方はどこからか団扇を取り出してきて、ゆっくりあおいだ。

「いや、いいよ。それにしても、あんたはいろんなことあるねえ。石山さんも出てったっていうし。どうなの、もう恋しくないの」

カスミはそれには答えなかった。

「先生、横になっていい？　疲れちゃった」

緒方は驚いたように目を丸くしたが、いいよ、と頷いた。カスミはたった今、緒方が寝ていた薄縁の上に仰向けになった。緒方が団扇で風を送ってくれる。優しい風に髪がふわふわと頬にかかる。子供の頃に戻ったみたいで気持ち良かった。北海道の短い夏、士幌《しほろ》から来た父の母親がこうしてカスミが寝入るまで団扇で風を送ってくれたのを思い出した。団扇であおぐほどの暑さではなかったが、カスミは祖母に、寝るまでやめないでね、とねだったのだ。緒方の間延びした声が上から降ってきた。

「ご主人何て言ったの、カスミさん」

「森脇はお金も無駄だし、そろそろ有香のことを終わりにしないと家族の身が保《も》たないというようなことを言ったの。私はそれは何だか違うみたいな気がしてどうしたらいいのかと」

「どうして。森脇さんは現実的なんだよ」

「そうかもしれないけど」

「そりゃあ、人それぞれ意見が違うよ」

「じゃ、私が間違っているのかしら」

「間違ってないよ。私はあんたの考えのほうが好きだけどね」

「私の考えって」

「訳がわからないってことかな」

「じゃ、混乱してるってことでしょう」

カスミは仰向けになったまま、バスの天井に灯された裸電球を眺めた。石山と会っていたラブホテルで天井を眺めたことを連想した。微かな照明で半分オレンジ色に染まった天井。湯気で曇ったバスルームのドア。それらが懐かしく、また切なく、涙がこみ上げてきた。

「どうしたの」緒方が尋ねる。「また何か思い出したんだね」

カスミは答えずに両手で瞼を押さえた。

「先生、電気消していい？　奥さんに何か言われちゃうかな」

「うちの奥さんは何も言わないよ」

緒方の妻は母屋で信者の世話をして暮らしていた。そこには始終、家出娘や飛び出して来た妻、破産した男、自殺未遂の老人などが入り浸っていた。緒方のバスは教会なのだ。緒方は立って背伸びし、電灯のスイッチを捻った。バスは暗くなった。やがて、街灯や月の光で天井だけがほんのりと明るくなった。反対に窓から下は暗く、横たわっていると暗闇のベッドに埋もれているみたいだ。カスミは目を閉じた。団扇の風は緩やかに変わらないペースで送られてくる。自分がまだ何も知らない子供で、あの浜に建つ自分の家で過ごしているような気がした。

緒方を紹介してくれたのは、モリワキ製版の元社員山下だった。山下は六十過ぎの老人で、写植を打つのは社員五人の中で一番うまいと言われていた。まだレンズがなくて勘で打っていた頃、詰め打ちはぴたりと嵌って神業に近かったという。しかし、目を悪くしてからは、会社の片隅で売れそうもないレタリングを何千字もこつこつと書いているだけの老人となっていた。道弘がお荷物扱いしているのを見かねて、カスミが真っ先にリストラしたのはこの山下だった。なのに、有香の事件を聞いて会社にわざわざ見舞いにやって来たのだった。

「カスミちゃん、大変だったね。これはどうかわからないんだけど、一応持ってきたから読んでみて」

山下はまるで見計らったかのように、道弘が外出していた時に訪ねてきた。山下は懐から一枚の紙を取り出して、カスミの手に押し付けた。

「何でしょう」

「武蔵境に変わった人がいるんだって。いい人だって評判らしいんだよ。有香ちゃんのこと相談してみたらどうかと思って」

カスミは紙切れを眺めた。藁半紙《わらばんし》にガリ版刷りした、粗末で時代遅れなビラだった。

そこには、こう書いてあった。

「『パラダイス会』　今日なんぢは我と偕《とも》にパラダイスに在るべし　緒方宗佑」

「山下さん、これ何ですか。怪しくない？」

カスミはビラを返しかけた。山下は老眼鏡の奥から、実際より数倍は大きく見える目をカスミにじっと当てた。

「いや、それがねえ。行った人の話じゃ、真面目な聖書研究会なんだって。皆で集まっては聖書を読み合うだけらしいんだよ。ただね、悩みのある人が沢山集まって来ていて、この緒方さんという人を慕ってるんだそうだ」

「じゃ、新興宗教？」

山下も首を傾げた。

「僕もよくわからないなあ。占い師って訳でもないだろうし」

「私、聖書に興味ないですよ」

カスミは藁《わら》にも縋《すが》る思いで、よく当たると言われている占い師を訪ねたことがあった。だが、そのほとんどに落胆させられていた。だから山下のくれたビラにも興味が持てなかったのだ。

「だけどねえ、行った人の話じゃ、緒方さんて人の人柄がいいんで、皆出入りしているうちに影響されて運勢も良くなるって聞いたよ。変な爺さんらしいけどね。一度行ってみたら？　あの、これ、社長には黙っていてよ。社長はそういうの嫌いでしょう」

山下は口止めするとそそくさと出て行った。確かに道弘は非科学的なことを嫌っている。カスミが時々、占いにまで頼っていることを否定はしないものの、面白くは思っていない。緒方という男は信じられるだろうか。カスミは縋り付きたい思いと、また失望するのは嫌だという気持ちがない交ぜになって落ち着かなかった。数日後、思い切って電話をかけてみると、緒方自身が出た。食事中らしい気配を恥じていた。

「申し訳ございません。今、口に飯が入っておりますので、今、ちょっとお待ち願えますか」

電話口からは、慌てて咀嚼《そしやく》して飲み込む音が聞こえてきた。カスミはその暢気《のんき》さに拍子抜けした。緒方は数秒後、咳払いをした。

「失礼しました。どちら様でしょう」

「あの、ビラをいただいた森脇といいます。一度伺ってもよろしいですか」

「どうぞいらしてください。私はどなたも拒みませんし、怖れておりません」

拒まず、怖れず。カスミはそのどちらもが今の自分を縛っていると思った。

「私は聖書のことも知りませんが」

「構いませんよ。興味のある方にはそういうお話をしますし、なければ他のお話をいたしましょう」

カスミは緒方の教会のある武蔵境駅で降りた。駅の階段を降りると、夏の西陽が商店街のアーケードを斜めに照らし出していた。カスミはハンカチで汗を拭きながら、人や車でごたごたした商店街を歩いた。途中、果物屋の店先で水蜜桃を見た。黄色味を帯びた皮が薄桃色に染まっているまろやかな美しい果物。柔らかな産毛に被われた傷付きやすい優しい果物。故郷の村では滅多に売っていなかった。これを見ると、カスミはいつも有香の頰を思い出すのだった。カスミはしばらく水蜜桃を見つめ、声をかけられるままに、つい一山買っていた。しかし、庭先にあるパラダイス会のバスを見て驚き、踵《きびす》を返しかけた。

「今日、電話をくれた方ですか」

中から声がした。声音も抑揚も穏やかでのんびりと人を和ませる力がある。カスミは立ち止まった。

「はい」

「ずっと待ってました。お入り下さい」

カスミはバスのステップを上がり、中を覗いた。座席をすべて取り外し、赤いパンチカーペットが敷き詰めてあった。小柄で痩せた老人が力を籠めて手招きしている。その真剣な眼差しがカスミの迷いを消した。カスミは靴を脱いで上がり、勧められるままにカバーを掛けた座布団のひとつに座った。

「どうかしましたか」

カスミは有香の失踪の顚末《てんまつ》を話した。話している間中、緒方は首を傾げて目を閉じていた。動かぬバスの中に座っていると遊んでいるような不思議な気分になり、カスミはいつの間にか石山とのことまで喋っていた。それは誰にも言わぬ約束だったが、カスミは見ず知らずの緒方に喋ることで解放されている自分を発見した。

「それはお気の毒なことですなあ。私にできることは何でもいたしましょう」

緒方はゆっくり目を開けた。占い師の多くと警察官のほとんどは、同情する振りはするが、時々、カスミを疑う顔を隠せない。本当はお前の行いが悪いせいで事件が起きたのではないか。あるいは、お前か、お前の夫が殺したのではないか、と。しかし、カスミが見たのは、涙で曇った緒方の目だった。カスミに降りかかった運命に一緒に翻弄されようとしている。この男は心底、自分に同情している。悲しい思いをした人間は、いつの間にか相手の欺瞞をすぐ見抜く勘を備えるものなのだ。カスミは予定時間を大きくオーバーして話し続けていた。緒方は、カスミの話が終わると軽く咳払いをした。

「こんな下世話なこと言って悪いけどね。あんた、心の中で誰が怪しいか犯人探ししたことありますか」

「勿論あります。和泉さん、和泉さんの奥さん、水島さん、豊川さんちの誰かじゃないか、とか。あと典子さんのことも疑いました。でも、みんなアリバイもあるし、有香を隠すことなんか物理的にできないのです。今は外部の人間がさらったのだと信じています」

「じゃあ、石山さんを疑ったことは」

「ありません」カスミは即座に首を横に振った。「あの人は絶対にそんなことをしない。私のために生きていたと信じているから」

「じゃあ、ご主人のことは」

カスミは一瞬絶句した。緒方はカスミを困惑させていることを承知で、申し訳なさそうにこちらを窺っている。

「本当のことを言うとあります。私と石山さんのことを知って逆上したのではないかと。そう考えた後、実の子をあの人がどうにかする訳がない、自分は悪魔だ、と思いました」

答えながら、自分が悪魔だと思った瞬間は、あの別荘で何度もあったとカスミは思い出している。緒方は重ねて問うた。

「ご主人もあなたのことを疑ったことがあると思う？」

「あると思います」

たとえ可能性がなくても、その動機を考えることが犯人探しであり、「邪推」なのだった。沼の底から湧き上がるあぶくのようにぶくぶくと生まれる疑念。疑念には疑念で返すようになる。カスミは自分を恥じて赤面した。

「人の心は見えない。見えないものはたいがい大事なものでしょう。それを考えるのが宗教なの。私はそういう仕事だから、別にあなたはそれを恥じることはないの。むしろ、あれこれ考えたほうがいいんだよ」

カスミは緒方の靴下の先に空いた穴を見つめた。

「あのう、先生。娘は生きているのでしょうか」

「どんな言葉が欲しいの」緒方はカスミに逆に聞いた。「私は占い師じゃないからわからない。でも、あなたの欲しい言葉なら言ってもいい。言葉は道具なんだから、あなたが楽になるなら何をしてもいい。何を言ってもいい」

カスミは黙った。石山が「待ってほしい」と言った時、今一緒に探してくれないのなら言葉は意味を持たないと思ったはずだった。なのに今の自分は慰めでもいいから気休めの言葉が欲しいのだった。

「生きてるよ、きっと」緒方は明るく言った。「これでいいかな」

「ありがとうございます」

「まあ、またいらっしゃい。あんたと話すのは面白い」

カスミは水蜜桃を忘れていたのに気付き、袋ごと差し出した。

「あの、これはそこで買ったものですが」

「ほう、これは水蜜桃」中身を見た緒方は嬉しそうに笑ったが、袋を押し戻した。「これはあんたみたいだ。自分で食べなさい」

幼児の頬のようではないか、そう思って買って来たのに。

「私みたい？」

「ああ。あんたは果物みたいにまろやかで綺麗だからね。またおいで」

カスミは嬉しかった。母親であることを考えるあまりに久しく忘れていた感覚が蘇った気がした。

その夜、道弘は疑わしげにビラを指で弾いた。

「俺は嫌だな、そういうの。聖書研究会とか言ってるけど、どんな教義かわからないんだろう。うまいこと言って信者を増やそうとしているだけじゃないか。第一、パラダイス会なんて変な名前だ」

「でも、緒方先生はいい人よ」

「わかるもんか。最初はうまいこと言って同情するんだよ。宗教の勧誘は皆、そうだっただろう」

有香が失踪したと報じられた途端に宗教からの勧誘が引きも切らなかった。しかし、緒方は自分に「パラダイス会」の勧誘をしただろうか。その素振りを片鱗でも見せただろうか。いや、していない。カスミはあの庭に置かれたバスでの出来事を思い出し、首を振った。緒方は、自分に人の心を考えろとだけしか言わなかったではないか。有香が生きている、とほとんどの占い師が言った気休めさえも言わなかった。

「金を取るだろう」

「いいえ。桃を持っていったら、あなたみたいだから自分で食べなさいって」

「何だ。ただの助平爺じゃないか」道弘は軽蔑したように言い捨てた。

それのどこが悪いのだ。自分は嬉しかったし、束の間元気になったではないか。カスミは道弘に理解を求めることを諦めたのだった。

団扇の風が止んだ。カスミが目を開けると、緒方がカスミの横で肘枕をしている。団扇の代わりに古い扇風機が首を回し始めた。風が来る度に、湿った庭特有の黴臭い風がカスミの髪をそよがせる。

「カスミさん。あのねえ、私の信者にね。こういう人がおるの。もう七十近いおばさんでね。勿論、私より年上なのよ。その人がね、どうしてイエス・キリストが好きかというとね、白人の男の人だからだっていうのね。素敵だからだと。そこから信仰に入っているのよ。でも、私はそれでいいと思う。というか、それこそがすべてじゃないかと思うのね。人が人に憧れたり、欲したりすること。もう一人の信者は、男なんだけどキリストに恋をしていると言うのね。だから聖書も必死になって勉強してると。いいでしょ、この話」

「先生。だけど先生は見えないものを考えるのが宗教って言ったでしょう。外見から惹かれて宗教に入るって変じゃないですか」

「変じゃないよ。見えるものはいずれ滅びるんだ。美しければ美しいほど滅びるのが悲しいし、虚しい。だからこそ、人間は見えないものを考えるんだよ。心とか真実とかね」

緒方の指はカスミの胸にそっと触れた。カスミは目を閉じる。快楽というより、安寧がそこにある。

「水蜜桃のおっぱいだ。虚しい肉体だ」

カスミは吹き出した。

「何言ってるの、先生」

「あんた、もう石山さんのこと思い出さないの」

「……思い出すよ」

「抱かれたいと思うでしょう」

「思うよ」

「だったら会えばいいのに。何も意地を張ることはない。そうしないと、あんたはずっと苦しむだけになっちゃうよ」

意地を張っている訳ではなかった。カスミは、あの時石山は臆したのだと思っている。自分は一緒にいてほしかったのに。怖《お》じた男を引っ張るほどの活力はすでに失われていたのだ。カスミは有香がいなくなったことで気が狂わんばかりだったのだから。

緒方の骨張った乾いた手がTシャツの中の素肌を優しく撫でる。暗い母屋から、微かに音楽が聞こえてきた。梨紗も夢中になっている少年グループの歌だった。カスミがそちらに顔を向けると緒方が囁いた。

「あれはね、一昨日家出してきた女の子が聴いてるの」

居候たちから、緒方は「お父さん」、妻は「お母さん」と呼ばれている。彼らの食費が、緒方本人の私産や教会への寄付から出ていると知ったのは最近のことだった。カスミは小さく笑った。

「先生、その子にもこんなことするの」

「まさか。あんただけさ」

カスミは緒方のほうに向き直った。

「先生、じゃ、あの人が支笏湖に行かないのは仕方のないことなのね」

「仕方ないね」緒方はきっぱり言った。「だって、あんたとご主人とは違う人間なのだから」

「目的は同じなのに？」

「さあ。それもどうかわからないよ。夫婦なのに不思議だね」緒方は手を止めた。「ただね、そろそろ何か変化があるような気がしてならないな。勘だけどね」

「どういうこと？」

カスミは身を起こした。緒方はカスミのTシャツから手を抜き、両腕を枕に仰向けになった。

「それはわからんなあ」

「どんな変化」

カスミは訳もなく弾む心を抑えて、緒方の眼鏡の奥にある物静かな目を見つめた。

「それもわからんなあ。ただ、あんたはこの四年間、全く変わらずに有香ちゃんのことばかり考えてきたでしょう。だから、そろそろ状況に何か変化があってもいいのになあと思えてならないんだ。それはあんたの外部の問題かもしれない」

「外部ですか」

「そう、変わる時は外から変わる。そして、それに応じてあんたの内部が変わるんだよ。それが何かは僕にはわからんけどね」

「じゃ、有香が見付かるのかもしれない」

「いいことか悪いことかわからんけど、状況というのは、最後に劇的に変わることがあるのね。今日なんぢは我と偕《とも》にパラダイスに在るべし、だよ」

緒方は理解し難いことをつぶやいた。緒方の言葉が聖書の教えを下敷きにしていることは知っていたが、カスミにはどんな意味があるのか見当も付かない。また、熱心な信者のように勉強しようとも思わなかった。

「先生は前に言葉なんて道具だと言っていたのに、それを私に言うのはどうして」

「言葉は道具さ。特に私のは商売道具。でもね、稀に血や肉を通過してくる言葉があってね、これはいいものなの」

「どうやって見分けるのよ」

「心を鷲摑みにされればそれでいいんだよ」

カスミはこの貧相な老人が好きだった。辛い日々を何とか過ごせるのは、緒方がいてくれるおかげだった。


数日後のことだった。カスミはいつものように帰宅した後、梨紗を連れて閉店寸前のスーパーで慌ただしく買い物をした。途中、梨紗のために本屋に寄り、ようやく帰宅すると道弘が待ちくたびれた様子で玄関先に出てきた。

「お帰り。遅かったね」

カスミは重いスーパーの袋をいったん上がり框《かまち》に下ろした。

「ごめん。随分早かったのね」

「ああ、納品が早く済んだから」

「そう。これから晩御飯の支度よ」

「いいよ、ゆっくりで。ちょっと話があるんだ」

アニメ番組に間に合わないと梨紗が走り込んで行く後ろ姿を見送り、道弘とカスミはぼそぼそと玄関先で話し合った。

「どうしたの」

「テレビ局から今さっき、電話があったんだよ。また行方不明児の特集をやるから俺たちにも出てくれないかというんだ」

ああ、これが緒方の言った「変化」だったのだ。とうとう外部から変化がやって来た。カスミは弾んだ声で答えた。

「出ましょうよ！」

カスミの反応に驚いて、道弘が訝《いぶか》しい表情をした。

「いいのか」

「いいわよ。だって緒方先生がそろそろ何か変化があってもいいと言ってたわ。きっとこのことよ。だから、出なくちゃならないわ」

「緒方先生が？」

道弘の言には不信が表れていたが、カスミは気が付かない振りをした。

「ええ」

「俺は構わないけど、また晒《さら》し者になるんだぞ」

道弘は複雑な顔をした。有香がいなくなって二年後、同様の番組に出演したことがあった。その時は、何か情報が来ればいいという思いで承知したのだが、結果は無惨だった。匿名の電話や手紙が舞い込み、嫌な思いをしたからだ。一番多いのが同情と励まし。それから宗教の勧誘だった。そして、カスミの心を逆撫でしたのが、偽情報と誹謗中傷だった。

「有香ちゃんは私が育てています。とてもいい子ですので、ご心配なく」といって、わざわざチラシの写真を合成して仕上げた写真を同封してきた手紙もあったし、「北海道で巡礼姿となって歩いているのを見た」という心騒ぐ手紙もあった。その度に浅沼に通報してはいちいち真偽を確かめてもらったのだが、ほとんどは遊び半分の偽情報だった。なかには酷い中傷もあった。

『あんた方が自分の子供を殺したのは知っている。あんたの子供は支笏湖に沈んでいるはずだ。物置に隠しておいて、夜中こっそり沖に出て沈めたのですね。重石はコンクリートブロックでしょう』

『旦那が犯人だ。旦那は実の娘に暴行して、騒がれたため殺したのだ』

『奥さんが石山さんと一緒にホテルから出て来たところを見た人がいます。本当は石山さんのお子さんなので、ご主人が殺したのはわかっている。奥さんは淫売でご主人は子殺しだ』

『別荘の持ち主の妻が怪しい。嫉妬で殺したに違いない』

『自分たちの監督不行届きのせいで子供がいなくなったくせに、公共の電波を使って訴えるとは言語道断だ。そういう間違った考えの奴はシベリアへ行け』

思い浮かべるだけで足が震えるような悔しさと憤怒をまた味わわなくてはならないだろう。それが道弘が渋っている理由だった。

「今度も何が来るかわからないよ。俺はいいが、お前は大丈夫か」

「ええ。出てみましょう。何かあるかもしれない。今度ばかりはそんな気がする」

道弘は暫く無言だった。カスミは元気よく続けた。

「もし、何も情報がなければ、今年は私一人で支笏湖に行くことにするから」

「いいのか、俺が行かなくても」

「ええ、私たちは意見が違うから」

カスミがきっぱり断ると、道弘の目に拒絶された悲しみの影が差した。傷付けて悪かったとカスミは後悔したが、気持ちはもう後戻りできなかった。似たような感情を前にも経験したと気が付いたのは、風呂場の鏡を覗いた時だ。石山と北海道の別荘に行こうと決意したあの晩のこと。道弘から大きく離れていこうとする気持ちを自分の中に認め、育て上げようと決意した瞬間のことだった。鏡には、久しぶりに上気した自分の顔が映っていた。

3

バスがない。庭先に鼻を突っ込んだ形で置いてあったバスはものの見事になくなっていた。カスミは驚いて緒方の家の前で立ち竦んでいる。テレビ出演のことを報告しようと意気込んでやって来たのに、これはいったいどうしたことだろう。カスミはバスの重みでえぐれた乾いた庭土を眺めた。

「森脇さん」

母屋に寄って妻に聞いてみようと玄関に回った時、後ろから肩を叩かれた。よくここで出会う中年の女性信者が立っていた。私立中学の国語の教師とかで、顔立ちは眠そうなのに、目が覚めるようなピンクやグリーンの派手な服を着ているので目立つ女だった。今日も黄色の半袖スーツに青のバッグという服装だった。

「びっくりしたでしょう」

「ええ」

「私も様子見に来たらバスがないから驚きました。まさか教会がなくなるなんて考えてもいなかったわ」

教師は、行く先を見失ったように、どうしようどうしよう、と何度もつぶやいた。

「様子を見に来たってどういうことですか」

「ご存じないのね」教師は母屋のほうを憚《はばか》って、ちらと眺めてから声を潜めた。「先生は今、試練に遭われていらっしゃるのよ」

「どういうことですか」

「ほら、一週間前に家出してきた子がいたでしょう」

教師は母屋の二階を指さした。カスミは夜半に訪れた時、窓から少年グループの音楽が流れていたことを思い出した。

「はい、顔は見てないけど」

「その子がまだ十三歳だったんですって。池袋で補導されてやっとわかったんですよ。売春してたんだって。私も、まさか自分が教えている子供たちと同じ歳だなんて思いもしなかったわ。あの子、きついお化粧してましたからね。てっきり二十歳を超えていると思っていたんですよ。その子が家出してきたことを知っていたのに先生が匿《かくま》っていたでしょう。しかも、その子が先生に性的な悪戯《いたずら》を強要されていると警察で嘘を言ってしまったらしいのですよ。それで先生は一昨日逮捕されたのです」

「すぐ出て来られるでしょうか」

「どうかしら。すぐには無理でしょう」

「バスは？」

「さあ、どうしたんでしょうね。奥様が頭に来て片付けたのかもしれないわね。緒方先生、時々信者の女性に悪戯していたらしいから。森脇さんなんかお気に入りだったから、そのうち刑事が来るかもよ」

教師は、カスミが信者でもない癖に、と言わんばかりの意地悪な言い方をした。カスミは言い返した。

「あなたはどうだったの」

「私がどうして」教師はむっとしたらしく青いバッグをぎゅっと摑んだ。カスミはエナメルのバッグに残った指の痕を見ないようにしている。「どうして私が」

「何でもないわ。さよなら」

カスミは教師を押しのけて歩きだした。夜のバスの、窓の下の暗闇。あそこにすっぽり塡り込んでいると安心だったことを思い出す。もう二度と明るい場所に出て行きたくなくなったものだった。バスがなくなってしまったのなら、あの暗闇も緒方との会話もおしまいなのだ。カスミは落胆して、自宅の方向に歩きながら夜空を仰いだ。曇天で星ひとつ見えない。

居間に入っていくと、道弘が黙ってテレビを指さした。カスミは道弘の後ろに立ち、ニュース映像を眺めた。緒方のバスの教会が映し出されていた。高いステップの下に置かれた年輩の信者のための木箱。床に敷かれたパンチカーペットや、運転席のあった位置に置かれた扇風機。そこに行って緒方と話したのは、つい五日前のことだったのに、映像で見ると遥か昔のような気がしてならなかった。

「やっぱり食わせ者だよ、あいつは」

道弘は「あいつ」呼ばわりした。

「今度のことは誤解だと思うわよ」

「何言ってるんだよ」道弘は聞く耳を持たないという顔で嘲笑した。「わざわざ引っ越しまでして騙されたよ」

「いいじゃない。助けられた人がいるんだから」

「詐欺師に助けられて嬉しいのか」

怪訝な顔をするカスミに、道弘は言い捨てた。

「あいつは何とかの方舟になり切って、何から何まで真似をしていたんだと。バスの教会も説教も喋り方も、全部真似してたんだよ」

どうでもいい、とカスミは思った。道弘がどうして怒っているのかわからなかった。『稀に血や肉を通過してくる言葉があってね、これはいいものなの』

通過したものが、緒方の血や肉でなかったとしても、カスミは助けられたのだからそれでいいのだった。

有香の行方がわからなくなって三ヵ月も経った頃、石山がモリワキ製版を訪ねて来たことがあった。十一月の終わり、朝から冷たい雨が降る日だった。石山からの注文も事件以来途絶えていたから、遠慮がちにノックして入って来た男が石山だったことにカスミは驚き、椅子から立ち上がりかけたままだった。石山はカスミの顔を見て微笑んだ。

「元気？」

「ええ、何とか」

「有香ちゃん、心配だね」

トイレに入っていた道弘が水洗の音と共に出て来た。道弘は石山の顔を見て、驚きと苛立った表情をした。どうしてすぐに訪ねて来なかったのだ、と責めたいのだろうとカスミは思った。

「ああ、これはこれは。お久しぶり」

「その後、どうですか。有香ちゃんのほうは」

「さっぱりなんだよ。しょうがないから仕事してるけど意気消沈しちゃってさ。カスミも泣いてばっかりだ」

「すみません、来ないで。申し訳なくて顔向けできなかった」

「どうして。石山さんがどうしてさ」

そうは言うものの、道弘も北海道に誘われなければ娘はいなくならなくて済んだのだという感情を捨て切れないでいるのだった。石山は雨に湿ったレインコートをソファに置くと、いきなり床に膝をついた。

「申し訳ないです。本当に責任感じてます。大事な娘さんを行方不明にさせてしまって」

「何言ってるの、立ってくださいよ」

道弘は慌てて石山を立たせようとしたが、石山は土下座したまま頑固に項垂《うなだ》れていた。カスミは何も言わずに石山の背を見つめていた。あの背に絡めた自分の腕。思いはいつもそこに行き着く。思いもかけず涙が溢れて、カスミは窓のほうに視線を逸らせた。石山がようやく立ち上がり、道弘に一礼した。

「有香ちゃんが見付かることを毎日祈っています。これで失礼します」

石山は振り向きざまカスミを見つめ、分厚い封筒を手渡した。

「これ、何ですか」

「有香ちゃんを見付ける費用にしてください」

「石山さん、ちょっと待って」

石山はカスミの声を無視して出て行った。カスミは道弘の顔を反射的に見たが、道弘は貰っておけ、と頷く。カスミは封筒をひっつかんで石山の後を追った。エレベーターのドアは鼻先で閉じてカスミを閉め出した。石山はドアを開けて自分を待ってはくれなかった。カスミは封筒を持ったまま階段を駆け降り、そのことばかり考えている。ビルの玄関で、今にも傘を開いて歩き出そうとしている石山に追い付いた。

「待って、石山さん」

石山は振り向いて悲しげな顔をした。

「待てないよ」

「どうして」

「あなたが先に待てないと言ったんだよ」

カスミは、差し出した封筒をそのままに、凍り付いた。

「それとこれは違うでしょう」

「同じさ。俺たちは有香ちゃんのことがある以上、もう会えないんだ。あなたたちも辛いだろうけど、俺も悩んでいるよ」

「わかってるわ」

「じゃ、元気で」石山はカスミに手を振った。

「石山さん、これは何」カスミは封筒をもう一度差し出す。「有香のことの慰謝料、それとも手切れ金？」

「何でもいいよ、ただの金だもの。遣ってくれれば嬉しい」

石山はそう言って、指でカスミの頰に触れた。指は温かかったにも拘らず、カスミの背に冷気が走った。そして、それは胴を小刻みに動かすほどの震えに変わった。石山が雨の中を走り出て行って、こちらを一度も振り向かなかったからだった。封筒の中には、「お見舞い」と書いた熨斗袋《のしぶくろ》に百万の札束が三つ入っていた。会社に戻って道弘に見せると、「貰っておけよ、あいつら金持ちなんだから」と、道弘が烏口を引きながらカスミのほうを見ないで言った。

八月。連日、猛暑が続いている。

テレビ局の車寄せで車を降りて玄関まで歩く間、カスミと道弘は束の間、直射日光を浴びた。迎えの車の中で不自然に冷えきって乾いた皮膚が、一瞬の白い陽光によって蘇ったように緩んだ。汗が噴き出しそうになる寸前で、テレビ局の自動ドアが開く。冷気がカスミの体の表面を再び包み込んだ。人工的な冷気はカスミの鎧《よろい》だった。汗とか、涙とか、自分の体から滲み出るものは一切、他人には見せないようにしなくてはならない。

これからまた、世間と向かい合わなくてはならないのだから。

テレビに出演することでどんな目に遭うのかわからないが、カスミはもう怖れてはいなかった。緒方の言った「変化」があるとしたら、この番組からなのだ。その確信が、カスミをいつになく積極的にしている。小さな楽屋に案内され、カスミは壁一面に張られた鏡に映る自分の顔を見た。目の光が強くなっている。一着しかない夏のスーツを着た道弘が、鏡越しにカスミを見た。

「やれやれ。お涙頂戴なんて堪らないよ。こんな思いをするんだから何か情報があるといいんだが」

「来るわよ、絶対」

「どうしてわかる」

「緒方先生が言ったもの」

緒方の名が出た途端、道弘は失望したように言った。

「まだ、おまえはそんなことを信じているのか」

ノックの音がした。

「はい」と道弘がドアを開ける。

「森脇さん、お久しぶりです」番組プロデューサーの保阪という女性だった。「今度もご協力いただきましてありがとうございます」

「あ、どうも。その節は」

道弘がお辞儀をする。二年前の同じ番組も彼女が作ったのだった。ジーンズにTシャツ、化粧気のない顔で、陽に灼けた頬にそばかすを無数に浮かせている。カスミと同じ年頃と思われる保阪は、如才なくカスミにも挨拶をした。

「奥様もわざわざ恐れ入ります。この前は、お役に立てなくて申し訳ありませんでした」

「いいえ、とんでもありません。取り上げていただいてありがとうございます。私たちにとっては、事件が風化するのが一番辛いのですから」

カスミの能弁に、保阪はおや、という顔をした。二年前に出演した時のカスミは、泣いてばかりいて、碌《ろく》に喋れなかったのだ。

「そう言っていただけると、こちらも放送のしがいがございます。何か情報があがるといいのですが。でも、やらないよりはやったほうが絶対にいいと信じていますから」

我が意を得たとばかりに、保阪は嬉しそうに言った。そして、持っていた台本を道弘とカスミに手渡す。

「これは番組の進行表です。前とあまり変わりませんが、本番前に少しお目通し願えればと思います」

カスミはそれにちらっと目を通した。想像した通り、行方不明児を持つ家族が五家族呼ばれており、それぞれの事件のあらましと被害者家族の話、そして情報紹介。そういう構成から成っていた。カスミたちは二番目の出演だった。

「それからですね。今回、取材をまた新たにさせていただいたのですが、石山さんのこと聞いていらっしゃいます？」

保阪は声を潜めた。

「何ですか。何だろう」

道弘はカスミの顔を見た。さあ、とカスミも首を横に振る。

「最近、あまり連絡取りあっていらっしゃらないのですか」

「ええ。実は毎月電話していたんですけど、引っ越したのか、電話が繋がらなくなっちゃって、心配していたんですよ」

彼らはもう放っておいてやろうと言った癖に、とカスミは道弘の顔を盗み見た。

「離婚なさったのはご存じですか」

道弘は驚きの声を発した。典子との電話でとうに知っていたカスミは黙って俯いた。

「いつ頃ですかね」

「もう一年になるようなことを奥様がおっしゃってました。こちらもね、連絡が取れないので、奥様のご実家の方に手を回して消息を聞いたんですよ。そうしましたら、離婚されていて、お子さまがたは二人とも奥様が引き取られたとかで」

「どこに行ったかわからないそうです。石山さんのご実家も、妹さんしかいませんしね。何もわからないとおっしゃってました」

「石山はどうしてるんです」

「畳まれておられますよ。少し事業を広げられたのがよくなかったのではと業界の方がおっしゃってました」と、保阪は心配そうに顔を曇らせた。「それはかりじゃなくて、借金取りに追われているという噂もあります」

「横浜の会社はどうしたんです」

「畳まれておられますよ。実は、そちらもうまくいかなかったとかで、不渡りを出したとも聞いています。少し事業を広げられたのがよくなかったのではと業界の方がおっしゃってました」と、保阪は心配そうに顔を曇らせた。「それぱかりじゃなくて、借金取りに追われているという噂もあります」

道弘は衝撃を受けたらしく深刻な顔をした。

「有香のことが原因なのかな」

「お子さんがいなくなったご家庭の周辺というのは、いろいろ起きますよね。あることないこと言われて会社が潰れたご家庭もありますし、離婚も多いですし、乗り越えることが沢山あるようで」

保阪は様々な事象を思い出すかのように、途切れ途切れに答えている。道弘は聞いていない様子で保阪の言葉が終わらないうちに問いかけた。

「あいつの連絡先、わかりませんかね」

「さあ。奥様もご存じないようでしたから」

保阪は首を傾げ、カスミを見た。その目付きから、カスミは、保阪が石山と自分の噂を知っているのだろうと確信する。これだ、この目付きだ。カスミは「世間」の棘《とげ》というものを生々しく思い出した。

道弘は困惑した格好で腕を組んで黙り込んでいる。遺産やさまざまなコネクションがある石山の新事業は成功していると思っていたのだろう。

「まさか、仕事が駄目になるとは思ってもいなかったよ。その上、離婚だなんてなあ。あんな第一線で活躍していた奴が」

「気の毒ね」カスミはやっと口を挟むことができた。

「今頃どうしてるのかなあ」道弘がぽつんと言った。

カスミは窓の外を眺めた。埋め立て地の海が午後の陽を浴びて、きらきら輝いている。高速道路を走る車のウィンドウガラスがさらに強い光を一瞬反射して、あっという間に過ぎ去っていった。

妙に白々と明るいテレビ局のスタジオで、道弘とカスミは大道具のベニヤ板で覆われた埃臭い隅に突っ立っていた。もうじき本番が始まるから付近で待機してほしいと言われ、二人は若い男たちがあたふたと走り回るのをぼんやりと眺めている。同様の目に遭った家族たちが、互いに話す訳でもなく、一様に悲しく焦れた目付きで暗がりに溜まっていた。この番組に出ることによって、何か情報が寄せられるかもしれない、その思いだけで出番を待っているのだ。

　カスミはすでに顔見知りになった家族と目礼を交わしながら、彼らの顔に刻まれた喪失が、自分たちと同類かどうかを確かめている自分に気が付いた。でも、今日の自分は違うはずだ。道弘がちらとカスミの顔を窺った。

「大丈夫か」

「ええ」

「石山のこと、気にするなよ」

「わかってる」

「でも、ちょっとショックだったな。連絡取れないから変だと思っていたけどな」

　やがて本番が始まるとの声がかかり、道弘とカスミは席についた。二年前とほとんど同じ内容で、司会者だけが違う番組が始まった。

　その電話がかかってきたのは、番組も終わりに近付いてからだった。

「ちょっと待ってください。森脇有香ちゃんに関する情報が入ってるそうです」

　司会者の声に、スタジオ中がざわめいた。道弘がはっと緊張するのが伝わってきた。カスミは思わず道弘の薄い夏生地のスーツの袖を摑む。耳に、司会者の興奮した声が大きく聞こえてきた。

「どちらの方ですか。え、小樽ですか」

老女の声がスタジオ中に響いた。

「もしかしたら違うかもしれないんで名前は勘弁してください。小樽に近いところに住んでいる者です」

「はい、北海道小樽市ですね。わかりました。どうぞ」

「最近、近所に男の人が女の子を連れて住み着いているんです。あの、悪いけど、ホームレスみたいな人でちょっと困るというか。みんなで気にしてるんですよね。そしたら、その子が『ゆか』と呼ばれてたみたいなんですよ」

「それだけではちょっと不確かではないですか」

「はあ。ただ、その子は男の人には全然似てなくて。男の人も若いから、みんなで変だって言ってるんですけど。今テレビを見ていたら、スタジオにいる、あのお母さんの顔にすごくよく似てるんです。まさかと思うけど、すごく気になったもんで電話しました。ただそれだけなんですけど」

テレビカメラがカスミの真っ正面に来た。カスミの心臓は今にも飛び出しそうになっている。梨紗は道弘によく似ている。自分に似ている女の子は、この世にたった一人、有香しかいない。小樽の老女が見たという女の子は有香に間違いない。

これが、緒方の言った「変化」なのだ。閉ざされた暗い部屋に、一条の光がさっと射し込んだ気がした。自分の顔が希望によって一瞬、明るく輝いたのを、カスミはモニターで確かめた。

第四章　洪水

1

　夢を見なくなった。眠りはいつも唐突に訪れ、さながら短い死を経てこの世に戻ってきたようにすべて忘れて目が覚める。毎日がこの繰り返しだった。睡眠薬のせいだとわかっていたが、いざ夢を失ってみると自分が空っぽで薄っぺらになった気がした。そればかりか、目覚めている時でさえも現実なのか夢なのか、わからなくなることがある。

　思考は水の流れに似ている。水はあちこちに流れ込み、途絶えたり、一緒になって勢いを得たり、どんよりと溜まったりもする。夢の中の恐怖や歓びや不可思議。それは自分の細かい水路の記憶だったのだ。夢があるからこそ、現実は確かで揺るぎないものだった。今の自分は、両岸をコンクリートで固められてまっすぐな水路を否応なく流されていく水だ。流れる意思など持てない水。決められた事柄をこなすだけの味気ない日々。現実のつまらなさと夢を失ったことは見事に連動している。この朝の目覚めだって夢でないとは言いきれまい。

内海純一はしばらくベッドに横たわったまま、アパートの天井を眺めていた。長年の喫煙で黄ばんでしまった合板ボードに、カーテンの隙間から洩れた太陽の光が当たっている。明るい部分が、いびつな平行四辺形に見えた。外は晴れている。気温は二十五度以上。これが今日の現実らしい。木の葉を揺るがす風の音が微かに聞こえている。内海は木綿のシャツと素肌の間に入り込む爽やかな風の感触を思い出した。こんな晴れた夏の日は、乾いた風が吹き渡って気持ちがいいはずだ。内海は、北国の夏しか知らないのを少し残念に思った。ハワイやタヒチなど、南の島に吹く風はもっと熱く湿っているのだろうか。その風に匂いはあるのだろうか。強く吹くのだろうか。

札幌近郊で生まれ、警察官の父親の赴任地を一緒に転々とした内海は、北海道以外に住んだことがない。道外に出たのは、新婚旅行で東京に行った時のみ。それも、わずか三泊四日の旅。父と同じ警察官という仕事柄、長い旅行は許されないのだ。新妻は物足りなさそうだったが、内海は東京など一度で充分だと思った。海外に行きたいという願望も持ったことはない。それなのに、今朝の内海は、生まれて初めて南の島に行ってみたいなどと考えている。海べりに座って寄せる波を眺め、これまで吹かれたことのない風に吹かれて日がな一日過ごしてみたいと思っているのだ。

想像が巡るのは、気分のいい証拠だった。内海は目が覚めると無意識に、その日の気温や天候、そして自分の体調の変化を検分する癖がついていた。そうすると低気圧の到来や寒暖の差異にひどく敏感になる。人間は自然の中で生きている。当たり前のことを、病気になるまで気付きもしなかった。雪が降って道が凍れば厚着をすればいい、暖かければ一枚服を脱ぐ。そんな防御で寒さ暑さを凌げた頑健な肉体を、今、内海は失いつつあるのだった。ほんのわずか湿度が高いだけで体がだるかったり、吐き気を催したりした。肉体の苦痛の多寡《たか》によって、自身を取り巻く自然の変化を知るとは驚きだ。こういうことなのだ、と内海は思う。生きている実感というのは、肉体を通して感じるものなのだ。

内海は右手で、鳩尾《みずおち》の中央を注意深く押さえた。かつて、そのあたりに胃があった。今はない。指で軽く押すと、鈍痛が腹全体にゆっくり広がり、痛みが引くまで暫く時間がかかった。引く時間が、段々と遅くなってきている。痛みはやがて、全身に巣喰って取れなくなるのだろう。覚悟は出来ているはずだが、果たして耐えられるかどうかはわからなかった。病いが人間に孤独を強いるのは、肉体の痛みや苦しみを誰とも共有できないからだ。肉体はあまりにも個人的で、それを伝えようとする言葉は無力だった。まして、内海は言葉によって他人に何かを伝えようと努力してきた人間でもない。いや、他人と完全に理解し合うことなど、最初から幻想だと思って生きてきた。

内海はTシャツをめくり、鳩尾の上部から腹まで伸びた手術痕にも指で触れてみた。

裸になると、長いミミズが腹の上で伸びているように見える醜い痕。胃ガンの手術をしたのは一年以上も前だから、赤みはだんだんと薄くなってはきている。が、痩せたために薄い皮膚から浮き上がってよく目立った。俺はミミズを一匹飼っている。腹の中には爆弾もある。内海は幾度も、ミミズの頭から尻尾の先までを撫で擦った。おとなしくしてるんだぜ、とつぶやきながらTシャツを腹にそっと被せる。

ベッドの傍らにCDプレーヤーが置いてあった。内海は腕を伸ばしてスイッチを入れ、CDを載せた。スティーヴィー・レイ・ヴォーンのブルースが大音量で流れ出した。毎日何回となく、繰り返し聴いている。何度聴いても飽きることはなかった。内海は目を閉じた。ベースの低音に上体を揺らしているうちに、我を忘れ、恍惚となっていく。一番好きな曲「テキサス・フラッド」に変わると、内海は諳《そら》んじた歌詞を一緒に歌った。そして、仰向けになったまま、左の指でブルースコードを押さえ、フレーズを弾きまくる真似をした。痩せた腕に抱えた、幻のギターで。ギターなど弾くどころか、触ったこともない。だが、今は弾けるような気がするのだった。

ブルースに興味はなかったのに、どうしてスティーヴィー・レイ・ヴォーンを好きになったのだろうと考えたことがある。思い当たったのは、彼が飛行機事故で不慮の死を遂げたという事実だった。内海は、病院帰りのカーラジオでたまたまそのことを聞いた。今はこの世にいない男の奏でる音が自分を幸せにし、束の間の恍惚をくれる不思議さ。

いずれ死にゆく自分への、死者からのプレゼントだ。「リトル・ウィング」が始まった。内海はこの曲も気に入っている。作者のジミ・ヘンドリックスもまた、死者だからだ。

今日もすることは何もない。たっぷりあるかのように思える時間も確実に過ぎていき、やがて終わりがやってくる。内海の人生は期限付きだった。音楽は時間が経つのを忘れさせるが、時を刻むものでもある。このブルースを何百回聴いたら、自分は消滅するのだろうか。

体全体でリズムを刻んでいた内海は急に息苦しくなり、疲れを感じた。シーツの中に埋もれるようにして息を吐き、目を閉じた。カーテンの隙間から忍び込む夏の光を、瞼の裏の残像で感じ取る。陽光。内海は、南の島に行くことはたぶんしないだろうと思った。似合わない。自分はこの狭い二DKの部屋で、死者の招くブルースを聴きながら死んでいくのが相応しい。

ＣＤが終わった。内海は最近習慣になった就眠儀式ならぬ、起床のための儀式をようやく終え、ゆっくりと半身を起こした。そして、検温を忘れていたことに気付いた。慌てて横になると、胆汁が逆流してきて口の中に苦い味が広がり、刺激でむせた。鼻の奥がつんと痺れる。内海はティッシュで口と涙を拭った。胃を切除すると噴門部の機能がなくなるため、胆汁や膵液《すいえき》までが逆流して来ることがある。それをうっかり忘れていたのだ。

体温計を腋の下に挟む。どうせ死ぬのに何のために熱なんか測るんだ。笑いだしたい気分と、いつまでもこのままでいたいから熱よ出るな、と願う気持ちとが交錯し、内海は戸惑う。この検温という作業も、日々の決まりきった手順に完全に組み入れれば、自分自身を毎日観察する態度を保てるようになるはずだった。要は、すべてに自律的であることだ。電子音が鳴り、内海は体温計のデジタル表示を眺めた。三十六度八分。律儀に検温表に書き入れる。これでやっと、朝の儀式は終了した。内海は、ひと月前に十五年間勤めた警察を辞め、療養の身となったのだった。

警察学校で布団の畳み方を徹底的に仕込まれた内海は、部屋がどんなに散らかっていても、ベッドだけはきちんと整えないと気が済まない。ベッドメイクを終え、着替えのためにカーテンを開ける。薄暗い部屋に光が射し込んだと同時に、ぱらぱらと雨の音がした。快晴だと信じ込んでいたのに、いつの間にか天気雨が降っている。音楽に神経を委ねていたから、雨音に気付かなかったらしい。内海は、陽光の中の雨を暫く眺めていた。

小さな洗面所の鏡を見つめる。徐々に痩せてふたまわりも細くなり、頬のこけた内海が映っていた。百七十七センチで七十二キロあった体重は五十六キロに減り、別人のような顔になった。その眼差しもまた別人のものだった。満たされない表情で、自分自身を睨んでいる。何が足りないのか、何が欲しいのか、内海はまだこの答えを見付けることができない。まるで痩せた野良犬だ、と内海は思う。

髭はきれいにあたり、やや伸びた髪はポマードで撫で付けてダックステイル型にまとめてあった。時代遅れのリーゼントだが、内海は気に入っていた。このヘアスタイルを変えたことはなく、内海は署内でも変わり者の刑事で通っていた。変わり者だからこそ、成績は誰にも負けない。そんなことが矜持《きょうじ》だったのも、今は意味がなくなった。これから限りある時間をどうやって過ごせばいいのか、内海には見当も付かない。時間を持て余しているのに、時間が経つことに怯え、死に向かう「現在」というものをどうしても受け入れることができないでいる。

内海が胃ガンの手術を受けたのは、一年半前のことだ。胃の痛みが容易に取れなくなった。薬で抑えられたのが、それも効かなくなり、背中まで痛むようになった。食欲が落ち、急に痩せた。その時、内海にぴんと来るものがあった。内海の家系はもともと痩せ型で、胃病が多い。祖父も父親も、死因は胃ガンだった。しかし、三十三歳という自分の若さがまさかと思わせ、病院に足を向けさせなかった。それだけではなかった。交番勤務からようやく刑事になれたのが六年前、さらに念願の道警捜査一課勤務になって二年。成績を上げなくてはならないと、寝食を忘れるほど仕事に熱中していた時期だった。定期検診に行く暇も惜しんで、あちこち駆けずり回っていたのだ。

その頃、妻の久美子は、結婚のために一時中断していた正看護婦の仕事に戻っていた。休みの日、勤務先の滝川にある総合病院から帰ってきた久美子は、内海の様子を一目見るなり、「お願いだから、検査に行ってよ」と真剣な顔で懇願した。それでも腰を上げなかった内海を病院に行かせたのは、張り込みをしている最中に吐き、激しい胃痛で腰を抜かしそうになったからだった。スーパー強盗殺人事件の捜査中で、内海は内部に手引きをした者がいると睨み、目星をつけたアルバイトの男を尾け回していたのだった。捜査に影響が出るとなると、放ってはおけなかった。

吹雪の日、内海は父親がかつて通い、最期もそこで迎えた真駒内《まこまない》の病院を訪れた。同僚だけには自分の病いを知られたくないという内海の意地が、警察病院ではない民間の病院を選ばせた。内海は警察内の誰をも信用していなかった。仲間は敵で、上司は利用するだけの存在、犯罪者は益をもたらす客。犯罪を憎み社会正義のために働く、などという発想は端《はな》から持っていない。それが内海の「仕事」の正体だった。

父の見舞いで訪れた時は真新しい病院だったのに、薄緑色の外壁はくすんで汚れ、不潔に見えた。建物の中に入ると、廊下や壁に患者の行く先を示す原色の太いテープが張り巡らされているのに気が付いた。内海は、小学校の理科室にあった埃まみれの人体模型を思い出した。赤や青の血管が指先にまで走る人型。その時初めて、内海は重い病いの予感に囚われたのだった。受付にいる若い女に聞くと、父の主治医だった医師もすでに退職しているという。

「胃腸科は今日、片桐先生です」

その医師で構わないと答える。女は初診患者用の用紙を渡し、気になる症状を詳しく書くように命じた。内海は鉛筆で用紙に、「胃痛、吐き気、食欲不振、激痩せ」と書き、最後の言葉だけ黒く塗り潰した。

片桐という医師は内海とほとんど歳の変わらない小太りの男だった。白衣の腕がきつそうだ。太った人間が嫌いな内海は目を背ける。内海が症状を話す間、片桐は落ち着かぬ様子でチノパンにくるまれた丸い膝を揺すり続けていた。この医者は気に入らない、と内海は思ったが、それも自身の選び取った結果かと思えば不思議と腹は立たなかった。

片桐は、内海の胃のX線写真を見ながら言った。

「多分、潰瘍だと思いますが、万が一、腫瘍が隠れているといけませんので内視鏡検査もやっときましょう。お話はその後で」

内海はレントゲン写真を見上げ、心の中でこう考えていた。何だ、親父と同じじゃねえか。レントゲン写真には、胃の入り口から胃体の中央まで、濃度の違う白い濁りが広がって写っていた。内海の父親は、胃の噴門部に出来たガンでこの世を去った。まだ警察学校生だった内海はこの病院に呼ばれ、衝撃で終始俯いたままの母親と一緒に写真を見て説明を受けたのだった。内海は思い切って口にした。

「先生、これガンじゃないすか」

「いやあ、これだけじゃ何とも。さっきも言ったけど、内視鏡検査をしてみないことには何にも」たじろいだ様子で片桐は椅子を後ろに引いた。

一週間後、内視鏡検査を終えた片桐は、少し口籠もった。

「表面にそれほど変化は認められないのですが、ちょっと堅いので気になります。中に腫瘍があるかもしれない。だから、確かめる意味でも早急に手術したほうがいいと思います。お仕事の都合を付けていただいて……お仕事は何でしたっけ」

「刑事です」

片桐は内海の顔を驚いた表情で見遣った。

「警察病院があるんじゃないんですか」

「あっちは嫌いなんで」

そう答えた時、内海は父親も自分と同じ心境だったのかと思った。片桐は、「そうなの」と曖昧に頷き、壁のカレンダーを眺めている。内海は、首の後ろに肉が付き始めた片桐の後頭部に話しかけた。

「先生。表面に出てこないガンてあるんすか」

「ええ。中に潜っているのがあります。なかなか見付けにくい上に、裏から他臓器に浸潤しやすいので危険です」

「俺はそれですかね」

「まさか」と、片桐は驚いた様子で振り向いた。「皆さん、心配してそうおっしゃいますけど、あなたの場合は胃潰瘍だと思いますね。ただ、潰瘍とガンが共存している場合も稀にありますので、組織検査しませんとはっきりとは」

「構いませんよ。言ってくれたほうが俺は助かりますから」

「なぜですか」片桐は疑うように内海に聞いた。

「なぜって、自分の体じゃないですか」

「でもねえ」と片桐は言い淀み、振り向いて年輩の看護婦と目を合わせた。「奥さんを連れてきていただいて、それからということで」

「女房は関係ないすよ。俺のことなんだから」

片桐の愚鈍さに内海は苛立った。ガキじゃねえんだ、舐めんじゃねえよ。そう怒鳴りそうになったが、辛うじて抑えた。看護婦は目を伏せたままで、片桐は考え込むように右手でしきりに顎を触っている。

「親父も爺さんも胃ガンでしたから、覚悟は出来てますんで」

「そうですか。うちの病院の方針とは違うのですが、患者さんのご希望なら仕方ないですね」片桐は溜息を吐いた。暫く言葉を選んでいるような間があり、それからやっと口を開いた。「内視鏡検査では、どうやら胃の入り口付近に腫瘍が出来ている模様です。

しかし、まだ早期のようですし、広がった形ではないようですので手術で綺麗に取り除けると確信しています。早期ガンの治癒率は九十七パーセントですから、ご安心ください」

「なら、どうして言わないんですかね」

「うちの病院は患者さん本人には告知しない方針なんですよ」

「先生の考えは」

「僕？」片桐は意外な顔で内海を見た。「僕は治療方針を患者さんときちんと話し合って決めていきたいですよ。ほんとに、そう思ってます。だけど、患者さんもいろいろですからね」

「俺は知りたいです。だから、そうしてくださいよ」

「わかりました」

そうは言ったものの、片桐は不本意な顔で口を歪めた。

「先生。さっき先生が言ったことですが、ほんとに全部取れますかね」

「大丈夫です。あなたの場合は粘膜下層内に止まっていますので、今発見できてよかったと思います」

内海は片桐を吐かせたことに満足していた。更に疑いを抱いて裏を取る、といういつもの職業意識をなくし、すぐさま帰り支度をした。

外はすでに薄暗くなり、まだ吹雪いていた。バス停まで歩く途中、地吹雪が舞って、内海の黒いコートの裾を下から煽った。冷たい刃物のような風が内海の懐にまで入り込み、鳩尾を凍えさせた。その時、ずきんと突き上げる激しい痛みを感じ、内海は息が詰まりそうになって立ち止まった。しかし、内海の心は解放感に満ちていた。皮肉なことに、ガンだとわかったことで、これまでのガンではないかという疑惑がようやく解決したのだ。それよりも今、内海の頭の中を占めていたのは、手術で休む期間、捜査中のスーパー強盗殺人事件をどうするかということだけだった。

事件が起きたのはひと月前。郊外にある中規模のスーパーに閉店後、売上金を狙って二人の男が事務所に押し入り、たまたま忘れ物を取りに戻って居合わせた女店員を刺殺して逃げた。未遂に終わったものも含めて、同様な事件が数件起きていたので、流しの犯行説が捜査本部の主流になっていた。内海一人が内部手引き説を主張してきた。表向きは、その場所だけが強盗事件の多発している地点から外れている、という極めて薄弱な理由だった。だが、内海には現場を見た時から臭ってくるものがあった。付近に学生、フリーター、勤め人など若い男の住むアパートが多くあるせいだ。都会を流れる奴らは、目立たなければ何をしでかすかわからない。これが内海の持論であり、根拠だった。

内海は自説を裏付けるために狙い定めた学生を尾け回した。失敗すれば物笑いの種になるが、ホシを挙げればたちまち英雄となる。そういう世界で分の悪い賭に出ているというのに、ここで休まねばならないとは。内海がガン手術のために休むと聞いて、喜ぶであろう同僚の顔が幾つか浮かんだ。「内海の野郎、死んじまえばいいのに」。罵る声まで聞こえてきそうだ。自分が同じ立場なら、そう言うだろう。しかも、病気が出世の妨げにならないとも限らない。その分、成績を更に上げなくてはならないだろう。内海の頭には、自分の病魔より、そんなことしか去来しなかった。

数日後、組織検査の結果が出た。

「残念ながら、やはりガン細胞が検出されました。しかし、ほぼ良好な治癒を辿る早期ガンと思われますので、頑張って治しましょう」

再度片桐に告げられた内海は、胃の全摘もしくは亜全摘手術を受けることに同意し、入院と手術の日取りを決めた。二週間後に胃部と脾臓の摘出手術が行われた。片桐は「成功したから安心してリハビリに努めてください」とだけ言った。

食事が一度に取れなくなったことや、食後、急に血糖が下がるダンピング現象など、慣れないうちは不快なことだらけだった。しかし、命がなくなった訳ではない。体力を回復し始めた内海に、食欲が蘇ってきた。食べれば体重が増え、顔色は良くなっていく。一ヵ月間入院治療しただけで、内海はまた仕事に戻った。食餌は作ることも摂ることも不便になり、余計な手間が増えたものの、命あって好きな仕事が再びできることがひたすら嬉しかった。

苫小牧《とまこまい》警察署の巡査から刑事を経て、巡査部長の任官試験を通り、念願の道警の捜査一課に配属になって二年。警察に入って十二年目にして、目的を果したのだ。道警の捜査一課の刑事になることが、警察学校時代からの内海の目標だったのだ。罷が出たという通報以外、何も事件が起きないような退屈な僻地の交番勤務をこなし、ようやく苫小牧警察署に戻って刑事になった。それからは目立てることならすべてやった。会議では積極的に発言したし、乗り捨てられた自転車をわざと放置し、それを寸借しようとする中学生までを補導した。気に入らない上司でも根回しと付け届けを怠らず、同僚からどれほど嫌われようとひたすら成績を上げることに腐心してきた。結果、手に入れた道警一課の刑事だ。ここで病気で倒れるなど、考えたくもない。いずれ快方に向かうと信じた内海は、毎日の抗ガン剤の服用も厭わずにこなした。

職場に復帰した内海に、衝撃的なニュースが待っていた。内海が追っていた学生が突然、専門学校を辞め、行方をくらましたのだ。内海がたったひと月入院していた間に、学生はタイミングよくどこかに隠れ込んでしまった。捜査は何の手掛かりもなく、事件は迷宮入りの様相を深めていた。手術さえなければあいつをしょっぴけたのに、そうすれば署内ででかい顔ができたのに。内海はじりじり悔しがった。勿論、自分が密かに追っていた学生の遁走《とんそう》を上部に報告するようなことはしない。己の益にならなかったのなら、事件が解決しなくてもいいのだ。それが、内海純一という名の刑事だ。

手術から一年近く経った頃、内海の体に再び変調があった。風邪を引いたようにいつも全身がだるい。そして、消えたはずの鈍痛がまた現れたのだ。不安になった内海は、片桐に訊いた。

「先生、ガンは全部取れたんでしょう？」

「取りました。でも、胆汁の逆流による食道炎を起こしているんでしょう。あなたの場合は噴門機能をなくしてますからね。薬を出しましょう」

初めは効いたが、そのうち薬を飲んでも痛みは一向に治まらなくなった。吐き気が内海を襲うようになった。食欲が更に落ちて十キロ以上痩せた時、内海は片桐を問い詰めた。

「治ってないんじゃないですか。先生、嘘は吐かないでくださいよ。前にも言いましたが俺の体なんですから」

「悪い組織は全部取りましたから、そんなことはないと思います」

「手術したほうがいいのなら、またやりますから」

「その必要はありません。あまり辛いようでしたら、入院して点滴でもしますか」

内海の腹立ちを見まいとするかのように片桐は視線を落とし、同じ言葉を繰り返す。埒《らち》が明かないと思った内海は、その夜からこっそり片桐を尾行し始めた。

片桐は六時に病院勤務を終え、ボルボに乗って雪道を帰って行く。自宅は南区にある分譲マンションだ。片桐の家族は大学講師の妻、その母親、そして幼い娘。週に一日は宿直で病院に泊まる。それらは調査済みだった。だが、土曜の夜、片桐は家にまっすぐ帰らず、シティホテルの駐車場にボルボを乗り入れた。バーで若い女が片桐を待ってい た。内海が最初に病院を訪れた時、受付で片桐の名を教えてくれた女だった。二人が部屋に消えたのを確認した内海は、翌週病院に向かった。

廊下で片桐を待っていると、片桐は糊の利いた白衣の裾を翻し、急《せ》いた様子で廊下の赤いテープの上を歩いて来た。赤いテープは消化器科に向かうルートだった。片桐は、隅に立っている内海を認め、ぎょっとした。

「内海さんじゃない」

「先生、どうも」

「今日は何。具合でも悪いの。痛む？」

「いや、ちょっと」

内海は片桐と並んで歩きだしたが、すでに健康人の歩行速度に付いて行けず息を切らした。思わず片桐の肩を摑んだ。

「大丈夫ですか」

片桐は立ち止まったが、その目に怯えがある。

「先生、俺、再発したんでしょう？」

「いや、何言ってるの。潰瘍のことですか。あれは全部取れたんだから、そんなことないはずですよ」

「じゃ、どうして検査しないんすか」

「お望みとあればやりますよ」

「そんな返事で満足すると思ってんすか。俺の命だっていうのに、簡単に言わないでくださいよ、先生」

内海は凄んだ。片桐ははっとして内海の痩せて窪んだ眼窩《がんか》の辺りを見た。内海は笑ってみせた。

「あと、どのくらいすかねえ。先生」

「そんなこと言えないよ。だって、本当のことじゃないんだから」

内海は、爬虫類を思わせる感情の籠もらない目で片桐を睨《ね》め付けた。

「先生、だったら聞きますけどね。受付のお姉さんとはどういう付き合いですかね。あの髪の短い、ぽっちゃりした女。ああいうの好きなんすか」

「それ、どういう意味ですか。失礼だなあ！」静かな内海と反対に、片桐は激した。

「何でもないよ。それに内海さんに言われる筋合いはないよ」

内海は片桐と女が会っていたホテルのマッチをさりげなく取り出した。片桐は素早くマッチに目を遣り、啞然とした。白衣のポケットに入れた両手を出し、力なく両脇に垂らした片桐を見て、内海は続けた。

「奥さんに言われたくなきゃ、時間がないなら、先生もはっきり言ってくださいよ。俺は自分のことは自分で決めたいんだ。無駄なことは何ひとつしたくねえ」

片桐は頰を引きつらせ、笑いを浮かべようとした。

「脅迫だね、まるで」

「そうでもしないと、先生は何も言わないでしょう。それは俺に失礼なこっちゃないですかね」

片桐は顔を歪め、刑事は嫌だな、という表情を露骨にした。

「だけど……」

「だけど、なんですか。俺は命がかかってる。あんたは俺が死んだって何も失うものはない。俺が頭に来るの、わかるでしょう」

片桐は腹を据えたらしく、大きく頷いた。

「わかった。話そう」と、廊下の隅にあるソファに内海を誘った。

二人は並んで茶色のビニールソファに座った。ソファの表面は廊下を這う寒気のせいで、冷えて乾いている。二人が同時に腰を下ろすと、ひび割れるような音がした。

「こんなところでいいのかな。カルテもないのに、申し訳ないなあ」

片桐は落ち着かないといった風に目を泳がせた。時間外で外来の患者の姿はほとんどなく、病院の職員や看護婦だけがせかせか歩き回っている。内海は、片桐の素振りから覚悟した。

「いいすよ。全部言ってください」

「そうですか。じゃ、言いますよ。手術の時にわかったんですがね、あなたの腫瘍は残念ながら、相当に進行しているスキルスという種類の悪性のものでした。五パーセント程度の発生率なんですが非常に残念です。早期と言いましたけど、あれはあなたの動揺を思って言った嘘でした。申し訳ない。こういう場合、医者もどうしたらいいかと迷うんですよ」

「もっと詳しく言ってくださいよ」

内海は悔やむ口調の片桐を容赦なく遮った。

「はあ。スキルスはあまり表に出ないで、根を張るように浸潤していくのが特徴です。内海さんの場合は漿膜《しょうまく》まで達していました。それと、播種《はしゅ》性転移を起こしてましてね、かなり広範囲に浸潤されていました」

「転移はどこに」

「リンパ節、肝臓ですね。できる限りのことはしましたが、手術でも取り切ることはできなかった。本当に申し訳ないが、今の医学ではどうしようもないのです。いつかお話ししなくてはならないと思っていました。私も悩んでいたんです」

内海は苦笑せざるを得なかった。勘は正しかったのに、捜査の詰めが甘かった。いや、どのみち遅きに失した。ホシは逃げた後だったのだ。

「俺がもっと早く来ればよかったんですかね」

片桐は暗い顔で首を振った。

「早くてもわかりにくいガンなんですよ。せめて胃の出口にあれば、すぐ自覚症状が出るんだけどね。場所も噴門部だったし。内海さんの運が悪い、という言い方をしたら、大変失礼だと思うし、僕も情けないけど」

「そうすか」

内海はゆっくり頷き、腕にカルテを抱えて二人で談笑しながらこちらに向かってくる若い看護婦たちの姿を見た。二人とも、若さで頰がぴんと張り詰めている。太めの体に力が漲《みなぎ》っていた。ああいう姿には二度と戻れない。自分には衰弱と死が待っている。初めて、内海は体から力が抜けるほどの衝撃を感じた。内海はやっとのことで、通り過ぎる彼女たちから視線を外し、片桐の蒼白な顔を見た。

「先生、俺は、あとどのくらい生きられますかね」

「一年ぐらいは」

片桐ははっきり言って内海の顔を見た。

「じゃ、もう何をしても無駄なんですね」

「それは考え方にもよります。延命という意味ではいろいろできます」

内海は暫く考えてから言った。

「先生。そういうことなら、俺は抗ガン剤はやめますよ。あんな苦しい思いして延命したところでベッドの上なら仕方ない」

「すみません」

「なんも。だって、先生のせいじゃないですもん」

片桐は深く頭を下げた。「本当に無力で申し訳ない」

「じゃ、もう来ませんよ」

「いや、それじゃ困る。僕に診させてください。これから先ですが、いずれ通過障害がひどくなって、食べ物が喉を通らなくなるかもしれない。それに黄疸《おうだん》も起こってくるかもしれない。そういう時は役に立ちます」

内海は何も言わずにゆっくりソファから立ち上がった。片桐は固唾《かたず》を呑んで内海を見守っている。内海は、片桐が自分を見つめているのを背中で感じながら、廊下を歩きだした。ガンという診断が下った時に、最悪の事態も予測するべきだったのだ。だが、自分はどういう訳か治ると信じ込んでいた。仕事のことしか頭になかったからだ。振り向くと、まだ片桐が立っている。内海は戻った。

「先生、聞き忘れました」

「何でしょう」

片桐の視線はもう身構えることもなく、内海の顔を正面から捉えた。

「あの手術は、しても無駄だったんですかねえ」

「無駄ということはありませんよ。だって、開けないとわからないんだから」

「だけど、手術が半年くらい遅れたってどうってことなかった訳でしょう」

「どうってことないってことはないけど」

片桐は内海の真意を測りかねたのか、首を傾げた。

「畜生！」内海は呻いた。片桐は理解できないという顔で茫然としている。「いいんです、先生。こっちの話だから」

内海は踵を返した。やっても無駄な手術なのだったら、しないほうがよかった。なぜなら、あの手術のせいで自分はスーパー強盗殺人事件のホシを逃した。畜生。内海はまた自分を罵った。

病院の正面玄関の前に立つと、ごうっと大きな音がして自動ドアが開いた。冷たく強い風が吹き込んで、内海に真っ向から当たった。一瞬、息ができなくなって思わず後ろによろめく。これほどまでに弱っているのか。頑健だった自分はもういない。体力が衰えていくのなら、いずれ仕事は辞めるしかなかった。内海は自分にできないことで忸怩《じくじ》たる思いを抱くのだけは嫌だった。それに、ガンという大きなホシを逃したのだ。初動捜査の誤り。見込み違い。人生で最大のミスを犯した。しかし、不思議と涙も出ない。自分の運の悪さを嘆くこともしなかった。ただ、死ぬ時はこんなものなのだろうという諦めに近い思いがあった。

いつの間にか日が暮れて星が出ていた。踏み固められた雪がしんと病院を取り巻いている。内海は病院の建物を振り仰いだ。昼間は薄汚く見える建物が雪明かりと自身の照明とで、美しく厳かに見える。内海は父親が死んだ部屋の辺りにちらと目を遣った。せめて死に場所だけは、親父と違う場所にする。二度とこの病院に足を踏み入れるつもりはないからだ。その点は満足していた。父親は、さまざまな管を体中に差し込まれ、二十日間、一言も発することができずに死んでいった。ああいう最期は絶対に迎えたくない。

車回しだけがきれいに除雪されて、黒いアスファルト舗装が覗けていた。寒気で、その表面にはうっすらと氷の膜が張っている。内海は足を取られて転ばないように、そろそろと注意深く歩いた。全身に力を入れると少し息が切れた。いずれ、凍った道も歩けなくなるのだろう。意識と行動を一致させることができるうちは仕事をしよう。困難になったら辞めよう。内海はその時期を、この夏と決めた。ただの勘だったが、勘だけはいつもいいのだ。

駐車場に停めておいた車に戻った。車内は冷え切って、胴震いが起こるほど寒い。いつもならすぐさま暖房を入れるのに、内海は歯をカチカチ鳴らしながら、カーラジオのスイッチを入れていた。この俺も命の終わりを告げられた時くらいは、人恋しくなるらしい。その時、激流のようにブルースが大音量で流れ出し、内海の全身を包んだ。内海は真っ暗な車内でがたがた震え、聞き終えた。それがスティーヴィー・レイ・ヴォーンのブルースだったのだ。

内海は粥を炊いて、豆腐とほうれん草の入った澄まし汁を作った。食欲はないが、食べられる間は何でもできるような気がしている。その気分を持続するためにも、食べなくてはならない。内海は機械的に食物を摂取することに、かなりの時間を費やした。ほとんど苦行だった。通常の三倍以上の時間をかけて食事を終え、食器を洗った。風呂場に置いてある洗濯機に、Tシャツやソックスを放り込む。そして、机の前に座った。気分のいい時にしようと取っておいた仕事があった。

内海は抽出から葉書を数枚取り出して、世話になった上司に手紙を書き始めた。調書を作成するために練習した、ペン習字のように整った力強い文字が並んだ。

「拝啓
　盛夏の候、井上警視にはお変わりなくお過ごしのことと思います。苫小牧署時代は大変お世話になり、有り難うございました。

　すでにお聞き及びかと思いますが、小生、病気療養のために、六月末日をもって退職致しました。井上警視のお引き立てによって、念願の道警一課に配属されましたのに、ご恩に報いることができず、大変申し訳なく思っております。」

　そこまで書いてから、内海はペンを置いた。警察に戻ることはないのだからどうでもいいのではないか、という気がしたのだった。礼状を書いたり、付け届けをするのは、少しでも上に昇りたいという野心があったからだ。今、そんなことをしても何の意味もない。内海は葉書を破り、ゴミ箱に投げ入れた。

　天気雨は止み、プラタナスの葉についた水滴が夏の陽射しにきらめいた。濡れた道路がたちまち乾いていく。風がなくなり、朝より湿気が増して暑くなったようだ。蒸し暑いと体にきつい。内海は朝の晴れやかな気分を思い出し、少々残念に思った。軒下に吊した物干しに、洗濯物を干していると電話が鳴った。

「今日の具合はどうですか」

　妻からだった。滝川の総合病院で看護婦をしている久美子は、月に二、三度、非番の日に札幌に戻って来るが、それ以外は病院の職員寮に入っている。

「調子はいいよ」

「そう。食欲はありますか」

「さっき粥を炊いた。ちゃんと食べてる」

「五食ちゃんと？」

「いや、三食がやっとだな」

「駄目じゃない。それじゃ栄養不足だわ。熱は？」

まるで病院にいるみたいだと思いながら、内海は事務的に答える。

「今朝は三十六度八分。ゆうべは測るのを忘れた」

「そう。今日休みだから、これからそっちに行こうかと思ってるんだけど。いい？」

「いいよ」

「夕方になるわ」

「わかった」

公衆電話の雑音を内海の耳に残して電話は切れた。内海は部屋を見回した。きちんとメイクされたベッド。小さな机と椅子。洋服ダンスと整理ダンス。座卓。部屋は綺麗に整頓されていた。汚れた湯飲み一個も出ていないし、ゴミも落ちていない。今更、久美子が来ても何もすることはなかった。そう感じられるほど、妻の来訪は、内海にとって嬉しいことではないのだった。

久美子と知り合ったのは、内海が二十五歳の時。苫小牧署勤務時代だった。街のメインストリートから一本外れた通りに警察がある。その向かい側の総合病院に久美子が勤めていた。入院している交通事故の被害者に事情聴取に行ったり、喧嘩をして怪我を負った暴行容疑の被疑者を連れて行ったり、警察官が病院に行く用事は案外多い。久美子は外科の看護婦をしていたので、内海は数回話したことがあった。特に印象的な顔形でもなかったが、てきぱきしているので好感は持っていた。ある日、交通事故の処理のために病院の受付に立っていた内海は、通りかかった久美子に呼び止められた。

「内海さん、今度、映画でも見に行かない？」

内海は驚き、看護婦帽をうまく頭に載せた久美子の笑い顔を見た。どうして自分に、と思い、理由を聞きたくて承知した。互いの非番の日を合わせるのに時間がかかったが、何とか最初のデートをした。映画のチケットの手配など、久美子がすべての段取りをしてくれて、寄るレストランやバーまで決めてあった。警察官である内海が職業人として、いや成績を考えて、合理的に仕事をこなすことを第一義に考えるように、久美子もまた看護婦としては優秀で、よく訓練された兵士のような思考を身に付けていた。それを実生活にも適用している女なのだと内海は思った。余分な感傷がない。内海はそこが気に入った。

「あなたって見かけと違って真面目そうだから」

久美子は久美子で、内海に声をかけた理由を説明した。自分は真面目そうに見えるのかと内海は内心、苦笑した。真面目とはどんなことか、久美子に逆に問いたかった。内海は社会正義のために警官になったのではなかった。内海の中の、社会正義と関係のありそうな感情を敢えて言えば、犯罪者とその予備軍に対する軽蔑心だけだった。どうせ碌でもない屑なのだから、自分の成績を上げるために存在する「お客さん」なのだ。治安が悪ければ検挙数が増えて都合がいい、非行少年は幾らでもでっち上げで補導できるから具合がいい。そんなことしか考えていないのに、それが久美子には真面目な警察官に映る。

内海の心には、まるで洪水のように野心が満ちていた。同僚を出し抜いて一番になりたい、上から認められたい。その思いだけで生きていたのだ。どうして道警の一課に行きたいのか、と問われれば、それが北海道の警察の頂点で花形の仕事だから、かっこいいからだ、と内海は答えただろう。どうして花形の仕事をしたいのか、という理由など考える気は毛頭なかった。内海の大地は洪水に覆われて、全く見えなかったのだ。だから、内海は久美子のことを面倒がなくていい相手だと思った。女はいればいたで構わないのであり、欲してやまないほどの存在ではない。久美子はその点、甘えることもないし、手がかからない便利な女だった。

「俺と結婚してくれませんか」

内海が久美子に結婚を申し込んだのは、付き合い始めてから一年後だった。問題を起こさない妻子がいるということは、一人の警官としての義務でもある。つまり、結婚する必要が内海のほうに生じて来たのだ。

「いいわよ」

久美子は嬉しそうに答えた。久美子は早速、日高で酪農家をしている両親に会いに帰り、またしてもいろんな段取りを決めて来てくれた。結婚式、招待客、引き出物、住居。内海は自分の選択を正しいと密かに思った。だが、内海は自分が久美子を甘く見ていたことに、まだ気が付かなかった。結婚後、久美子は看護婦の仕事はずっと続けていきたいと主張したのだった。それなら、転勤の際には連れて行けないことになる。思惑と外れて生きることになってしまうと怖れた内海は、それなら自分と別れてもいいのか、と恫喝に近い説得をした。久美子は渋々折れた。

しかし、久美子が退職して専業主婦に収まっていたのは四年間だけだった。内海が苫小牧署に戻って刑事になった時、二人の間は険悪になった。ようやく刑事になることができて嬉々とした内海は、自分の仕事ばかりに熱中して久美子のことなど顧みもしなかったからだ。久美子は自分で滝川の病院に職を見付けてきた。そして、強引に家を出て行った。内海は止めたが、久美子はこう言った。

「私は看護婦をするために生まれてきたとさえ思っていたのに、あなたは私の言うことに耳を貸そうともしない。あなたは自分のことしか考えていない」

それが敏腕と言われ、一見真面目そうな警察官、内海の水底に横たわる大地だったのだ。結局、二人は折り合わず、別居することになった。二人の間に子はなく、内海は半分毀《こわ》れた家庭を持つ変わり者の刑事とならざるを得なかった。そのことが更に内海に、人より成績を上げたいという執念を持たせたのかもしれない。

病を得た今、久美子は内海に優しくなった。休日毎に札幌に来ては内海の面倒を見ようとする。もっと世話ができるから、滝川に引っ越して来てほしいとも申し出た。しかし、それも久美子の職業的態度に過ぎないと内海は思う。末期ガンの男のターミナルケア。久美子はその仕事を完璧にこなしたいのだ。自分が便宜だけで久美子と結婚したことを、彼女はまだ赦していないのだと内海は思う。

ベッドに横になっているうちに、いつしか眠っていたらしい。玄関のブザーに驚いて目を覚ますと、外はすでに暗くなっていた。昼間の約束をすっかり失念していた内海は、薄暗い廊下に立っている化粧気のない久美子の姿を見て驚いた。

「いやだ、忘れたの？」

「そう言えば来るって言ってたな」

久美子は答えず、観察する看護婦の目でさっと内海の全身を上から下まで眺めた。衰弱ぶりを検分しているような目付き。それが不快で内海は不機嫌な声を出した。

「そんな目で見るなよ」

「そんな目って、どんな目」

病人というのは情緒不安定なものなのだと言わんばかりに、久美子は気にしない態度で流行遅れのスニーカーを脱いだ。

「元気そうじゃないの」

嘘だ。また衰えたと思っているはずだ。内海は黙って寝乱れたベッドを直しに戻った。すると、久美子は慌てて駆け寄った。

「あ、いいわよ。私がするから。あなたは病人なんだから座ってて」

「いいよ。俺の部屋なんだから」

苫小牧時代に別居をして四年経っている。札幌のこのアパートは最初から内海一人の住まいだった。だからこそ、こんな言葉が出るのだが、久美子は気にした様子もなく、勝手にベッドメイクを始めた。面倒臭くなった内海は畳に腰を下ろし、持ち上げたマットレスにシーツをたくしこむ作業を手際よくこなしている久美子を見た。久美子は段々脂が抜けていく。知り合った頃は、肩まであるまっすぐな髪を切りに始終美容院に行っていたし、口紅くらいは塗っていた。だが、今は硬めの髪を無造作なショートカットにして全く化粧を施していない。Tシャツにジーンズ、持ち物は黒のリュックサック。他人の目を気にしなくなって久しい、自分の道を突き進む女の姿だった。

「おまえは頼りになる看護婦なんだろうな」

嫌みでも何でもなく、内海の口から、ついそういう感想が出た。

「そうよ。私、婦長になるのを狙ってるんだから」

久美子は振り向き、まんざら冗談でもない口調で答えた。片や捜査一課の刑事になりたかった男と、今や婦長を目指す女。どちらも相手のことなど考えていなかった。なのに、職業人としては、おそらく優秀なのだ。合わないと思っていたが、本当のところ、自分たち夫婦は似た者同士だったのだと内海は苦笑した。

久美子は買ってきた材料を取り出し、夕食を作ってくれた。煮魚、粥、野菜の煮物。病院食並みの消化のよいものばかりだった。二人は口も利かずに、黙々と夕飯を食べた。気詰まりを感じたのか、久美子がテレビをつけたが、興味のない内海は画面を見ない。

「俺の速度に合わせなくたっていいんだぜ」

「わかってるわよ」

しかし、久美子はのろのろと不味そうに魚をつついている。内海は懸命に咀嚼しながら妻に問うた。

「病院じゃ、俺みたいな患者は沢山いるんだろう」

「ええ」

「そいつら何してる」

「え？」

「死ぬまでの間、何してるんだ。抗ガン剤やったり、放射線やったりすれば、ガンだってばれちゃうだろう」

「そうねえ」久美子は箸を置いた。「人はいろいろよ。だけど、昼間は元気でも、夜になると皆、駄目なのよねえ。気分が鬱《ふさ》ぐらしいわ。息ができないって三十分おきにナースコールをする男の人がいてね。その人、まだ四十二なんだけど肺ガンの手術したの。でも、誰もどうすることもできないでしょう。とりあえず駆け付けて足でも擦ってあげようと思うんだけど、行くと苦しい息の下で怒鳴るのよ。『何で来たんだ！』って。『あんたなんか来たってどうにもならない』って。どうしたらいいのかわからないから、ナースステーションに戻るとまた鳴るの。その繰り返しが一晩中続く。こっちもくたくたになるわよ」

「それから？」

「元刑事さんもいるわよ」

「刑事？」

「ええ。もう七十くらいなんだけど、毎晩、寝ていて大声を出すの。同室の人から文句が出て、訳を聞いてみたら、人を殺す夢を見るんだって。何だかおかしいけど」

「それから?」

「悲惨な話はまだまだあるわ」急に久美子は戸惑ったように言い淀んだ。「もっと楽しい話のほうがいいわよね」

「構わない。しろよ」

「どうして聞きたいの」

「おまえが俺の知らない地獄を知ってるからだよ」

「地獄? 地獄とは言えないわ。だって、人間の当たり前の姿だもの」

「じゃ、その当たり前のことを聞かせてくれ」

「待って」久美子は、曖昧な返事をしてテレビを見つめた。「私、この事件覚えているわ」

突然、久美子がそう言って指さした。話を変えたのか、と内海は少々むっとしてテレビに目を向けた。再現ビデオを使って、泉郷別荘地幼児失踪事件についての説明をしていた。あったな、そんなこと。内海の中の記憶装置が働き、四年前の夏、隣の恵庭署の管轄で起きた未解決事件の詳細を思い起こした。別荘地で東京から来た女の子が行方不明になった事件だった。どん詰まりの山道のてっぺんでいなくなったのに、車の音も聞こえなかったし、不審者も目撃されていない。山狩りをしても見付からなかった。一時は父親犯人説も出た妙な事件だった。その時の内海は苫小牧署の刑事をしており、小所帯の恵庭署の応援に駆り出されたので、関係者も見て、現場も知っている。自分ならこう捜査するのに、と思ったこともあるが、担当でない以上、余計な頭も体力も使わないようにしていたのだ。

「可哀相にね、この両親」

久美子は箸を置き、ソファに腰掛けて俯いている夫婦に見入っている。内海もちらと目を遣った。父親は疲れを滲ませた表情で下を向き、三十代後半らしい母親は大きな溜息を吐いた。その肩が下がったのを、内海はぼんやりと眺めた。父親は知っていたが、母親の顔は見ていない。

ちょうどその時、スタジオに電話が入った。司会者の興奮した受け答えが聞こえる。行方不明児らしい子供を見たという目撃情報だった。久美子が、へえ、と声を出した。

「この電話って本当なのかしら。この子、悪いけど死んでるわよね。ね、そうでしょ」

内海は粥の入った椀をテーブルの上に置いた。

「多分な」

「だけど、希望を繋ぐのね」

『今テレビを見ていたら、スタジオにいる、あのお母さんの顔にすごくよく似てるんです』

妻の話し声の合間に通報者のその声だけが耳に入り、内海は思わず目を向けた。母親の顔が画面いっぱいの大写しになった。希望が瞬間溢れ出ている。だが、その顔の基調を成しているものは、大きな空洞を埋められない剝き出しの孤独だった。内海は、どこかで見たような表情だと思った。今朝、鏡の中にいた自分の顔と同じだった。子供を見失ったという現実と折り合えない女。女の不幸が内海の心の底に沈んでいたものと呼応した。

「俺、この子供探してやるよ」

内海のつぶやきに久美子が顔を上げ、初めて会う人のように内海を見た。

2

内海は久しぶりに夢を見た。自分が刑事部屋に戻ったことを課長や同僚に報告している夢だった。同僚たちは内海を見て驚いた顔をしたり、肩を叩いては口々に励ましの言葉をかけてくれた。その都度、内海は相好を崩して礼を述べていた。内海は頰のこけた窶《やつ》れ顔でなく、骨格の浮き上がった瘦せた体でもなく、昔の健康な体軀のままだった。

自分の机の前に座って湯飲みがないのに気付き、ああ、退職した時に捨ててしまったのだ、と考えているところで目が覚めた。夢の中の内海の喜びは、仕事に戻れたことや、思いもかけなかった同僚の温かさに対してではなかった。病気が治ったことに歓喜し、二度と取り戻すことのできない肉体を再び手に入れたことに感謝していたのだった。死病に冒されている自分の見る夢は、やはり切なかった。しかし、睡眠薬を飲んで寝たにも拘らず夢を見たことを、内海は喜んでいる。

昨日と同様、夏らしく晴れた好天気だった。体調は良くない。目覚めた時から軽い腹痛があり、体がだるい。何かをしようと企むと、緩んでいた脳味噌がにわかに夢を紡ぎ、労っていた体がここぞとばかりに裏切る。まるで、これからの内海の無理を察して、ガン細胞が喜び、さんざめいているかのようだった。だが、その蠢《うごめ》きは紛れもなく、内海の水流がコンクリートを穿《うが》ち、新たな水路を見付けた証拠でもあった。まだひび割れた程度だが、水はいずれそちらにも染み込み、流れを作っていくだろう。内海は腹を押さえてゆっくり起き上がりながら、苦笑いを漏らした。

洗顔を済ませて朝食の粥を火にかけ、生温いスポーツドリンクで口を潤した。それから、東京のテレビ局に電話をかけてみた。電話はあちこちたらい回しにされたが、最後に番組プロデューサーの保阪という女のところで留まった。アナウンサーのような、甲高い甘い声の持ち主だった。

「札幌の内海といいます。昨日のテレビを見たんですが、あの泉郷の事件のことでちょっと……」

「情報ですか」と、話の終わらないうちに保阪は意気込んだ。

「いや、違うんです。自分は退職したばかりの刑事なんですが、あの事件に興味がありましてね、ちょっと調べてみたいと思ったんです」

「それはどういうことでしょうか」

「個人的な興味ですよ。というのも、自分は恵庭署の隣の苫小牧署に、当時いましたんで、あの事件が気にかかってましてね」

「どういう目的なのか聞いてもいいですか」警戒している。

「森脇さんという人の役に立ちたいと思います」

そう答えはしたが、内海は自分の言葉の真偽について考えている。正直に言えば、気紛れな好奇心から出たものに過ぎないのだった。

「あのう、それは善意で、ですか。つまり無償、ということですが」

保阪は内海の真意を確かめるためか、わかりやすいように文節を区切った。

「そうです」

「そうですか、ありがとうございます。森脇さんご夫婦も、ボランティアでやってくださる方なら大歓迎だと思います」

「ボランティア」という言葉を聞いて、内海は痒くなった。しかし、無償で調べてやろうというのだからボランティアには違いない。

「それでしたら、森脇さんの電話番号をお教えしますので、森脇さんのご許可を得てから動いていただけませんか」

「それは構いませんが、自分としては、まず小樽の情報のことを詳しく知りたいんです」

「わかりました。書類を取ってきますので折り返しお電話します。電話番号を教えていただけますか」

内海は番号を告げて電話を切った。粥が噴いている。駆け寄って鍋の蓋を取り、味噌汁の実を刻んでいるところに電話が鳴った。

「もしもし、森脇カスミといいます」

保阪かと思ったのに、いきなり、あの母親からかかってきた。内海はテレビに映った顔を思い出した。こんな声をしているのか。内海は、やや低めの通る声と性急な口調をじっくり味わった。

「今、大東京テレビの保阪さんからお電話を戴いたのですが、有香を探してくださると聞きました」

「はあ、そうしたいと思っています」

「ありがとうございます。本当に助かります。もう一人子供がおりますし、森脇も私も仕事がありますす。東京にいて、なかなか思うようにならないものですから、本当に助かります」

一本の電話だけで、もう俺を信用しているのか。内海はカスミの無防備さに呆れ、カスミの内部に今にも破裂しそうな感情がいっぱい詰まっているのだと察した。剝き出しの孤独。あの顔は今、希望で明るく歪んでいるのだろう。

「お役に立つかどうかわかりませんけどね。当時、隣の署にいましたんで事件の概要も知ってますし」

「あの、警察の方なんですか」

急にカスミの言い方に不信が現れた。

「はあ、そうす。元刑事です。だから、森脇さんの事件の応援にも行きましたよ」

「そうですか」カスミの声は途端に沈んだ。「だったら、事件のこともよくご存じなんですね」

「知ってます」

「恵庭署の浅沼さんもご存じですか」

「それは担当の刑事ですか」

「はい」

「会ったことはありません。駐在の脇田なら知ってます」

カスミは少し沈黙した。やがて、意を決したように切り出した。

「折角ですが、そういうことでしたら結構です。ご親切には感謝します」

内海は驚いて問い質した。

「それどういうことすか。事件のこと知ってると駄目なんですか」

「いえ、そういう意味ではないです。私が警察の方に失望していると言っては失礼でしょうが、今の心境はそれに近いものがありますので」

なるほど、そういうことか。内海はおとなしいと思っていた森脇カスミの案外強靭な姿勢に、苛立ちを募らせた。当時、現場には別荘の持ち主と行方不明児の母親が出来ているのではないかという噂があった。内海には何の興味もない噂だったが、その辺を探られたのでうんざりしているのだろうと想像した。内海の中に住まっている虫がざわめきだした。犯罪者は碌でなしの屑、といういつもの強い軽蔑心だった。カスミがその碌でなしなのか、あるいは何か自分の知り得ない秘密があるのか。探りたくて堪らない。

「ほんとに申し訳ありません。明日、私も札幌に行きますので、自分で探してみようと思います。ありがとうございました」

「明日ですか。小樽の件は自分が調べておきますんで、その後でいらしたらどうすかね」

小樽の情報などガセネタだと内海は踏んでいる。調べることなど造作もない。何でそんなに意固地になるのか、内海にはカスミの心情まで慮《おもんぱか》る優しさなどどこにもなかった。

「いいえ、行きます。有香は四年前の八月十一日にいなくなりました。毎年、その頃には北海道に行きます」

今日は八月八日だった。

「それが？」

カスミはうんざりした声を出した。内海が、これまで見知っている警察の連中と変わりないと結論を出したようだ。

「おわかりにならないようですけど、これも何かの節目ですから。それが私たちの気持ちです。ともかく申し訳ありませんが、この件はお断りいたしますので」

カスミには有無を言わせぬ専制的なところがある。内海は従うしかなかった。わかりました、と頷きながらも、「何時の飛行機でいらっしゃるんですかね」とさりげなく聞き出すことを忘れなかった。

「午後一時ですが」と、カスミは不思議そうに答えた。

内海は電話を切り、高揚している自分を発見した。鳩尾の痛みは失せていた。

粥は焦げ付いている。内海は舌打ちして中身を全部捨てた。鍋底の焦げ付きをしゃもじで擦り落として流水で洗い、内海は森脇カスミの声音を思い出していた。森脇カスミという女の中に時として現れる厳然とした物言い、それと裏腹の頼りなさ。何が彼女を衝き動かしているのか。彼女は何を求めているのか。彼女の不安は何か。そして、彼女は何をしたのか。すべて知りたかった。この事件に関わることが、自分の健康に害を及ぼすであろうことは予想が付いている。だが、内海は何かを追うという行為に自身でも驚くほどの喜びを感じていた。もう一度最初から粥を炊き直しているところに、今度は保阪から電話があった。

「森脇さんから、お電話ありましたでしょう？」

「はあ。明日いらっしゃるとかで」

「ええ。今まで何もなかったもんですから、今度こそ何かあるのでは、と興奮していらっしゃいましてね。内海さんからのお電話を待てないとおっしゃったもんですから番号をお教えしました」

「構いませんよ」

内海はカスミ自身に断られたことなどおくびにも出さずに答えた。

「私が言うのも変ですが、どうぞよろしくお願いします。それから、参考になりそうな資料をファクスで送りたいのですが」

「今、切り替えます」

やがて、ファクスが十枚近い紙を吐き出した。

内海は時間をかけて朝食を咀嚼しながら、保阪から来た資料にざっと目を通した。泉郷別荘地幼児失踪事件の概要と新聞記事の切り抜き、有香の写真。この程度のことなら内海も知っていた。そして、昨夜テレビ局に来た情報を書き留めたもの。情報提供者の名前と電話番号も書いてある。しかし、テレビで見た以上の目新しいことは何もなかった。ガセだ、と内海は改めて直感した。

『去年の春から、朝里《あさり》の浜の漁師小屋に住み着いた若い男がいる。近くのトンネル工事に従事していると思われるが、定かではない。その男は十歳くらいの女の子を連れているが、子供の父親と思われるような歳でもなく、子供もあまり似ていないので気にかかっていた。その女の子は、「ゆか」と呼ばれていたようだ。それに、テレビで見た母親(注・森脇カスミさん)によく似ているので、これはと思い、電話した。

小樽市朝里町　大塚(六六歳)♀』

内海は食事を終えると、すぐさま消化剤を飲んだ。血糖が急激に下がるのを防ぐため畳にゴロリと横になる。傍らのファクス用紙を取り上げ、仰向けのまま、もう一度最初から読んだ。午後は、恵庭署の浅沼という刑事を訪ねてみようと考えた。話したことはないが名前は知っている。自分が現役なら浅沼は決して喋らないだろうが、幸い退職している。何とか聞き出してやる。それから、どうやって捜査するか考える。身に付いた習慣で、「捜査」という言葉が無意識に浮かんだ。内海は驚いて首を横に振る。断じて捜査などではなかった。内海の場合の「捜査」は、評価を受けることのみを目的としていた。だから、これはと思う被疑者を徹底的に洗ったり、罠に掛けたり、取り引きしたり、時には騙したりの、いやらしい悪知恵と、ひたすら歩き回る地道な行動との所産だった。また、出し抜かなければならない同僚がいたから、秘密を多く含んだたった一人の仕事でもあった。これから自分がすることは、「捜査」の真似事に過ぎない。いや、全く違うものなのだ、と内海は思った。第一、ホシなどどうでもいい。本当のところ、子供の生死もどうでもよかった。森脇カスミの秘密を知ることも、自分に共通の何かを見付けたいと昨夜思ったことも、実は死ぬまでの暇潰し、いや娯楽に過ぎないのだった。

　恵庭署までは約一時間のドライブだ。そのくらいなら、まだ疲れない。内海は新しいTシャツに着替え、黒のジャケットを手にして部屋を出た。アパート前の舗道に植わったピラカンサスの影が以前より長くなった。真夏の陽光にも、そろそろ秋の気配が忍び寄って来ている。内海はそれを自分の死の予兆のように感じたが、青空を仰いで必死にその考えを振り払った。いつまで、この努力を続ければいいのか。いつ自分は努力の虚しさを知るのか。内海の心は、暗い色に塗られかけている。

アパート裏の駐車場に向かい、色のぼけたシルバーグレイのカリーナの前に立った。細かい砂埃がうっすらとボディに積もっている。体力が落ち、ステアリングがひどく重く感じられるようになってからあまり乗らなくなった。子供の格好の遊び場となったらしく、ボンネットの上にも、運転席のドアにも、下手くそな字で「バカ」「死ネ」と大書してあった。確かに俺はバカだ、もうじき死ぬ。内海は物好きな自分が可笑しくてならない。退職前には、いや病を得るまでは考えもしなかった行動を取っている。落書きはそのままにしてドアを開けた。車の中から、タバコのヤニくさい臭いと、太陽に温められた埃の臭いとが同時に立ち昇った。内海はシートにも積もった砂埃を払い、スティーヴィー・レイ・ヴォーンのカセットを放り込んで、カリーナを発進させた。

浅沼とは、恵庭署そばのファミリーレストランで待ち合わせた。内海がオレンジジュースをちびちび飲みながら窓際の席で待っていると、初老の落ち着いた男が入って来て、手を挙げた。

「どうもどうも、内海さんですか。お待たせしました」

浅沼は洒落者だった。ゴルフ灼けらしい浅黒い顔に白髪がよく映える。金縁の眼鏡を掛けて、紺の夏のスーツにベージュのゴルフシャツという格好は企業の部課長か、不動産屋の社長に見えないこともない。浅沼は席に座る前に、ブランド物の名刺入れから、名刺を取り出した。

「浅沼です」

「内海です。すんません、名刺ないんで」

浅沼は如才なく、「いやいや結構です」と手を振り、腰を下ろしてから黒のスーツに白いTシャツ姿の内海をしげしげと観察した。

「あんたが内海さんですか。名前は聞いてましたよ」

「そらまた、どうして」

「ゾクみたいな格好の、やり手の刑事がいるってね」

浅沼は冗談めかしたが、金縁眼鏡の奥で意地悪な目が光った。この野郎、上品ぶってる癖に馬脚を現しやがって。内海は顔には出さず、内心で嗤《わら》う。浅沼の嫌みは続いた。

「苫小牧のヤクザがほっとしてるってね。内海さんがいなくなって、でっち上げが減ったって」

内海は、曖昧な笑みを浮かべたまま聞いている。浅沼は素知らぬ顔で濁ったアイスコーヒーにストローを差し込み、上目遣いに内海を見た。

「なんで辞めたんですか。あんた道警一課に行ったんでしょう。エリートでないの」

「自宅療養してます」

「ほう、どこか悪いの」と、内海のだぶついたスーツの肩辺りに目を遣った。

「胃ガンなんです」

そう言って、内海は浅沼を見た。肩で風を切っていた者が落ち目になった途端、居丈高になる輩は沢山いる。自然に身構えていた。だが、浅沼は悪いことを言ったと思ったのか、視線を逸らして隣の席に置いた夏物のジャケットから、もそもそタバコを出した。気の弱い奴だ。内海は気を取り直して嵩《かさ》にかかった。

「泉郷別荘地の幼児失踪ですがね、ちょっと聞かせてくれませんか」

「構わない。けど」浅沼は百円ライターでタバコに火をつけた。「内海さんが、どうしてまた興味を持ったの」

「いや、自分もあの事件の手伝いに行ったんですよ。一日ですがね。現場の手伝いに」

「あ、そうでしょう」浅沼は思い出したらしい。「だって、総動員だったものね」

「ヘリも出ましたよね。でも見付からなかった」

「なかなか難しいよね、ああいう事件は」浅沼は自身の怠惰を隠すように笑った。「で、どうして聞きたいの」

「いや、暇なんで子供を探してやろうかと思ってね」

「冗談でしょ」

浅沼は笑いを堪えて下を向く。子供はもう死んでいる、そして更に、その顔にはこう書いてある。お前も想像しただろう、刑事は常に物事の悪いほうから想定する癖が付いているのだから、と。内海は無視して見ない振りをした。

「いや、マジです」

「内海さん、それあんたの新しい仕事ですかね。仕事にして、私らから無料で情報を手に入れたい訳ですか」

「仕事じゃないです。単なる趣味です。だから情報は要らないすよ。だって、これ以上のことを何か拾えましたか。浅沼さん」

内海は資料を指さした。浅沼の無能を匂わせるあからさまな態度に、浅沼は憮然とした。

「じゃあ、何が聞きたいの」

「強いて言えば」内海は店の天井を睨んで考えた。「浅沼さんの感想……ですかね」

自分でも思いがけない言葉が飛び出したので、内海はぎょっとした。浅沼も驚いた様子で聞き返した。

「感想？　何の」

「あの事件の感想ですね」

「そんなこと聞いてどうすんの」と、浅沼は忍び笑いを漏らす。

「さあ、自分もよくわかんないんですけどね。通常のやり方じゃなくて、今までしなかったことしてみたいなって思うんで、聞いたことないこと聞いてみようかと」

「何言ってるんだか、さっぱりわかんないよ」

「すんません」内海は素直に頭を下げた。「自分、もう刑事じゃないんで、違う発想しようかなと思ったんです」

「わや、今度は探偵かあ」浅沼は揶揄《やゆ》した。「かっこいいなあ」

「いや、仕事じゃないですから」手を振って否定する。「ただの人間、ただの男。そういう立場で聞きたいんですよ」

「禅問答してんじゃないだろって」

うんざりしたらしく、浅沼はストローでアイスコーヒーを全部吸い上げた。からんと氷が崩れた。

「つまりね、浅沼さんは現役の刑事です。事件を沢山抱えている。自分も浅沼さんの立場なら、のこのこやって来た奴になんか、何も言わないすよ。そんなことわかってるから、自分が知らない情報を聞きに来たんじゃない。ただ、あの事件を調べた感想を聞きたいんです」

「わかったよ。だけど、なして」

「自分が刑事やってた時、感想なんか持ったことなかったですから。ていうか、持つ暇もなかった」

内海には、違和感がすべてだった。何か違う、どこか変だ、その違和感がいつも発火点となって事件の芯に到達していく。事件が解決してからも、捜査の成否でしか考えてないから、感想の持ちようもない。犯行という事実と、犯人という対象、自分への報奨、それ以外何も覚えていないことのほうが多かった。そうやって過ごしてきたことに、内海は今、自身で驚いているのだった。

「俺もないよ、そんなものは」

浅沼はふてくされた風にタバコを唇の横にくわえた。二人の間に、圧縮された空気の層があって、それに押し潰されたように二人は黙りこくった。しかし、内海の率直さに、浅沼は何かを感じたのか、急に顔を上げた。

「感想って言えば、ひとつだけあるね」

「何すか」

「あの子は本当にいたのかって。有香という名前の子供は存在したのかって本気で疑ったことあるんだよ。だって、消え方が変でないか？」浅沼は真面目な顔で空を眺めた。「あれだけ捜索したんだから、出て来ない訳はない。事故なら痕跡があるはずだ。それもない。五歳の女の子に失踪する意思なんかないんだから、誰かの仕業に決まっているのに、その痕跡もない。てことは、神隠しどころか、最初からそんな女の子はいなかったんでないかって気になったね。だけど勿論、写真にも映っているから間違いないけどさ」

「子供を見たのは、石山一家だけですかね」

「いや、あの水島と和泉夫婦と豊川の息子が見てる。確かに有香という名の年長の子がいたって。一番利発で可愛かったたって」

「じゃ、やっぱりいたんだな」

内海が独り言を言うと、浅沼はせせら笑った。

「おいおい、内海さん。辞めたからって、あんたまでボケないでよ」

「そういう見方って新鮮だなと思ってね」

浅沼は両腕を組んで、まじまじと内海を眺めた。

「新鮮か。あんたはそういう見方に縁がなさそうなタイプだもんな。馬力でホシ挙げる感じだろう。親父と違うね」

内海は驚いて浅沼の顔を見た。

「うちの親父を知ってるんすか」

「知ってる。俺は最初に札幌の円山署にいたんだ。あんたの親父はあそこで刑事してただろう。いい人だったけど、親父も早く死んだね」

内海は浅沼の言った「親父も」に衝撃を受けた。顔が紅潮して動悸が早くなり、脂汗が背中を滴った。遅かれ早かれ、死がいずれ確実に訪れて来ることは充分承知していても、他人の口から出ると衝撃を受ける。俺はまだ修業が足りない、と内海は平静さを保つのに苦労しながら思った。だが、浅沼は内海の動揺に気が回らない様子で、のんびりと次のタバコに火をつけた。

「それはそうと、ゆうべのテレビのせいで朝から泡食ったよ」

「小樽の件ですね。あれはどうすか」

「あんなのガセだよ。近くの駐在に無理言って見に行ってもらったら男の子だって言うんだ。奥さん、来てもがっかりするだけだ」

「明日、森脇さんの奥さんが出て来るんすよ」

浅沼は苦い顔で頷いた。

「そうそう。毎年、この時期になると来るんだよ。もう何も出ないと思うんだけど、気が済まないんだね、母親だからしょうがないけど。何か手掛かりがないかって必死なんだ。ああなると、そのために生きてるって感じだな。毎月十一日には、必ずあっちから電話が来るしさ。十一日になると、責められているみたいで辛いったらないよ」

「そのために生きてるって感じ、か」

鸚鵡《おうむ》返しに内海が言うと、浅沼はゴルフシャツに付いた糸屑を指で摘んだ。

「亭主のほうは時間と共に諦めたんだろうけどさ」

時間と共に諦められたらどんなにいいだろうと、カスミは思っているのではないか。

内海はふと考え、同時に事件の当事者をこんな具合に想像したことはなく、また自分が様々な想像を巡らす事件を手掛けたこともないと気が付いた。内海は急に、現役の浅沼に悲しいほどの嫉妬を覚えた。自分が担当で、この事件に最初から関わっていたら状況はどうなっていただろうか。様相は少し違っていたかもしれない。それとも、難事件だと早々と見切りをつけ、もっと検挙率のいいほうに向かったか。今の内海には、過去の自分のことさえわからなかった。浅沼は考え込んだ内海の様子には無頓着で、退屈そうに腕の金時計を眺めている。内海は浅沼ともっと話したくなった。

「今はなんもないんですか」

「なんもないさあ」と、浅沼は内海の北海道弁を真似、ひらひら手を振った。「和泉って爺さんが、釧路で猟銃自殺した時は関連を疑ったけどね。それも全然、関係なかったし」

「その件に関して感想は？」

「また感想かい」呆れ顔で浅沼はちらと内海を見た。「特にないね。ますます、水島が図に乗るなって思っただけ」

「水島？　知ってますよ」

内海は水島も和泉も知っていた。和泉は地元で有名な実業家だったし、水島は有香の事件でとかくマークされた人物だったからだ。しかし、敢えて浅沼自身の口から人物評を聞こうと口を噤んだ。

「水島は元航空自衛隊の自衛隊バカでね。人の命令待ってるだけで、実社会に出ても適応できない奴。長いこと軍隊いると、ルーティンな仕事が楽になっちゃうんだね。四十過ぎても三曹どまりだったそうだから、推して知るべしだよ。今でも、和泉さんの奥さんに可愛がられているらしい。水島のほうも、和泉さんが自衛隊援護協会の会員で、うまく拾われたもんだから、恩に着てるって噂だよ」

「さっきの図に乗るってどういう意味ですか」

浅沼は握った拳の親指を突き出す、下品な仕草をしてみせた。

「水島はね、和泉さんの奥さんのこれなんだよ。子供がいなくなった朝、水島のアリバイが崩せなかったのは、奥さんと同衾《どうきん》してたからなの」

「和泉はそれを知って証言したんですかね」

「した。前の晩から家に泊まっていたと証言した。朝飯も一緒に食ったと。そのせいで、水島は犬みたいに仕えてるんだな、これが」

犬なら刑事も同じだ。俺は何に仕えていたのか、と内海は思った。警察組織でないことは確かだった。しかし、その警察組織という実体のないものから誉められたい、評価されたい、という意識は強くあった。いや、それがすべてだった。俺はいったい何をしていたのだ。内海は首を傾げる。

「水島は何で自衛隊を辞めたんですかね。そんなに居心地いいなら一生いればいいのに」

「わかんないね。ロリコンて噂あってね、それで何かあったんじゃねえかって、かなり調べたんだけど箝口令《かんこうれい》が出てて駄目。だけどね、あんた。調べたら、それぞれみんな一癖二癖はあるさ。はっきりしたことは何もわからなかったけどね。単純なのは、豊川のとこだけかな。売価が下がるって、すぐさま別荘叩き売って、和泉さんの恨み買ったりしてさ」

「その息子はどうなんすか」

「犯歴なし。ゴルフとダイビング好きのぼんぼんだ。子供に悪戯して殺すような度胸ありゃしないよ。あの歳からゴルフやってりゃ、シングルになるって」ゴルフ好きらしい浅沼は悔しそうに言う。「豊川もただの飲み屋のオヤジ。お袋がちょっと男勝りのうるさ型かな。まあ、どこの母ちゃんもそうだけど。ついでに感想も言っとこうか」浅沼のほうから、ふざけて言った。「豊川は皆シロだよ」

「そうすか。じゃ、石山はどんなです」

「石山と森脇の奥さんが出来てるって噂がどこからともなくあがってさ。子供が石山の子でないかとか誰かが言ったもんだから、すわ、父親による恨みの犯行に違いないべ、と色めき立った訳。だけど、見当違いもいいところでね、あの子は森脇夫婦の子に間違いないの。石山自身は育ちが良くて小心、かっこいい東京者。とても、そんな大それたことできそうもない。どうも石山はカスミに惚れてるんじゃねえかって気がして、あの典子って女房が怪しいと思ったこともあるけど、状況としてできないんだよ。あの別荘に子供一人隠すなんて物理的に無理。だから、絶対に外部だね。誰かがあそこの別荘地に入り込んで、風のように子供を連れてった。天狗かもしれないよ」

浅沼は窓の外を眺めた。ススキの原の彼方に、新千歳空港に着陸する飛行機が腹を見せて超低空を飛行していた。轟音は聞こえなかったが、空気の揺れは伝わっているのか、店の周囲に植えられた白樺が微かにぶれていた。

「やれやれ、盆が過ぎるともう秋だ。冬は嫌だね」

「そうすね」

「ゴルフできないしな。俺は退職したらゴルフ三昧が夢だよ。だけど、まだ家のローンがあるしな。きっとスーパーの警備員かなんかになるんだろう。そうなると、休みも不規則になるしな。ま、警備員でも仕事があるだけいいけどね」

愚痴とも言えない浅沼の独り言は続く。自分は今度の冬を越すことができるだろうか。そんな内海の胸の裡など、浅沼には届かないだろう。内海は浅沼の思いを遮るように聞いた。

「森脇カスミのことはどう思いますかね」

そうだ、俺は森脇カスミに関する感想を聞きたかったのだ、と内海は思った。浅沼はすぐに答えず、懐から警察手帳を取り出し、中に書いてあるメモを読んだ。

「感想を言うのかい」

「はあ、何でも」

「感想は、よくわからないってことかな。最初は、東京から別荘に遊びに来た奥様かと思ってたんだよ。まあ美人だし、スタイルもいいし。若い警官も騒いでたよ、ちょっといい女だべさって。したら、この事件が新聞に出た時、道内の村のある男から電話があった。行方不明になった子にそっくりの子を知っているってさ。驚いて調べたら三十年も前のことなんだ。森脇の奥さんのことなんだよ。その村の娘なんだわ。驚いて当人に聞いたら、確かにその通りだけど、家出同然で音信不通になってるから絶対に報せないでくれって頼むんだ。村には報せなかったけど、びっくりしたさ。何も知らない初めての土地で娘が行方不明になったんじゃ、そりゃ可哀相だべと思ってみんな必死だったのに、本当はそうじゃねえんだよ。北海道出身なんだよ、あの女は。それを周囲にも隠してたんだ」

内海は身を乗り出した。

「どこですかね」

「留萌郡の喜来村ってとこなんだ」

「キライムラ？　聞いたことないすねえ」

「海沿いの田舎町だよ。小平《おびら》の上のほう。人口五百人。なまら驚いたさ」

浅沼は北海道弁で言うと、ぱたんと警察手帳を閉じた。

「旧姓は？」

「確か、浜口とかいう姓だった」

「じゃ、浅沼さんもカスミには、かまされたっていうか」

「そうそう。東京から来た美人の奥さんと思っていたのに、家出人だとはね」

「捜索願出てたんですかね」

「出てない」と首を振る。「でも、十八の時に村を出てから音信不通らしいんだわ。親捨ててんだから、そらあ鬼だべ。皆、それ聞いてがっくりきて、おまけに石山と出来てるって噂も聞き込みで入って。何となく冷たくなった感はあるな」

内海には、その経緯が手に取るようにわかる。警察官も人の子だ。捜査員の心証で捜査に熱が籠もったり、注意が殺《そ》がれたり、見当違いの方向に向かったりする。カスミに対する失望が、捜査の道筋を誤らせたということだってないとはいえなかった。

「そうすか。北海道の女だったんすか」

「びっくりしただろ」

「いや、面白いす」

「面白いかねえ」浅沼はむっとしたらしい。「そら、外野は面白いだろうけど」

「すんません」

「でもね、カスミはそのこと何も言わないよ」浅沼は呼び捨てになった。「なかなかしっかり者だからね」

「わかりました。どうもありがとうございました」

「こんなんでいいのかい。でも、何か調子に乗せられて喋っちまったな」

浅沼は立ち上がり、上着を手に取った。

「すんません、謝礼もしないで。ここは自分が払いますから」

「じゃ、元気でな。頑張れよ」

もう会うこともないと言わんばかりに、浅沼は内海の肩をぽんぽんと叩いた。浅沼が出ていくと、内海は疲れを感じて、ビニール張りのソファに深く埋もれた。体がだるい。食欲はないが、そろそろ食事を摂らなくてはならない時間だった。内海はウェートレスを呼び、メニューを持って来させた。天麩羅うどんを頼み、車に地図帳を取りに行く。カスミの出身村がどこにあるのか探してみようと思ったのだった。

留萌郡喜来村は、留萌と羽幌《はぼろ》のちょうど中間にある海沿いの小さな村だった。道内を出たことのない内海でさえ、行ったことはない。昨日の朝、南の島に行って熱い風に吹かれたいと考えたことを唐突に思い出した。森脇カスミ、いや浜口カスミはそこで何を考えて暮らしてきたのだろう。きっと、昨日の自分以上に、知らない土地で経験したことのない風に吹かれたいと思っていたに違いなかった。ようやく脱出したはずなのに、まるで呼び寄せられたように北海道で娘を見失うとは。内海は、カスミの数奇な運命について考えている。

天麩羅うどんが運ばれて来た。内海は衣を丁寧に剝がして、痩せた海老を食べ、麺を一本ずつ注意深く啜った。隣の席の若い女たちが驚いたように眺め、笑いを堪えている。が、内海にとっては生存のかかった厳粛な仕事だった。他人の目など気にもならない。内海は必死に咀嚼し、嚥下《えんげ》した。食べ終えるのに三十分は優にかかった。消化剤を飲み、一息吐いて外を眺める。今度は離陸したばかりの飛行機が機首を上げ、本州に向かって飛び立つところだった。一面ススキの生えた原野に、夕陽が当たっている。

札幌に帰って来たのは午後六時過ぎだった。渋滞に巻き込まれて二倍近い時間がかかった。内海は駐車場に車を停めると、コンビニで豆腐と醬油を買い、脚を引きずって部屋に戻った。一刻も早く、体を休めたかった。だが、照明もつけずに畳にごろりと横になった途端、電話が鳴った。

「もしもし、内海さんですか」

聞き覚えのない男の声だった。

「そうですが」

「私は東京の森脇です。この度はご親切に申し出てくださって、ありがとうございます。感謝しております」

森脇道弘からだった。これまで、あちこちにさんざん礼を言ってきたと思われる慣れた口調だった。内海は食卓の上に出しっ放しになっていたペットボトルを取り、片手でキャップを開けてミネラルウォーターを飲んだ。生温かった。

「いや、それがですね」

説明しようとすると、森脇が遮った。

「女房に聞きました。折角のお申し出を断ったとかで申し訳ありません。叱っておきました。私としては是非、ご助力いただきたいのです」

「役に立てないかもしれませんよ」

「いいえ、お気持ちが嬉しくてお電話しました。あの、明日、女房がそちらに伺うことになっています。子供のことになると気が高ぶっていますので、失礼があるかもしれませんが、どうぞお気を悪くしませんように」

「つまり、ご主人は自分がやってもいいと」

「勿論です。個人のやることなど高が知れてますから。それに無償だと聞いて感激してます。正直言って、金がもうあまりないもんですから」

亭主のほうは現実的だ。内海は笑った。

「それでですね。あの小樽の情報のことなのですが、私はどうも当てにならないと思っています。率直なところ、どうお考えですか」

「恵庭署の浅沼さんから連絡いきませんでしたか」

「女房が電話を受けた様子ですが、私には何も言いません」と、道弘は不審な声を出した。

「そうすか。実は何かの間違いだろうということなんですがね」

「ああ、やっぱり。そんなことじゃないかと思って心配してました。前にも何回かそういうデマが来ましてね。でも、今度のは顔が似ていると言われたもんだから、女房も希望を繋いでいるんですよ」

「現地に行かれても、無駄足だと思いますね」

「そうですか」道弘は考え込んでいる様子だ。「しかし、女房は絶対に小樽に行くと言い張ってますので、もしご同行願えるのでしたら……」

「行きますよ。行きがかり上」

「でしたら、交通費だけは私のほうで出させていただきますから。何もできなくて申し訳ありません」

「わかりました。ところで奥さんの宿泊先は」

内海はさり気なく聞いた。森脇は疑うこともなく、札幌駅そばのビジネスホテルの名を教えてくれた。これで跡を尾ける手間が省けた、と内海は思った。

「それでは」

電話が切れそうになった。内海は慌てて呼びかけた。

「森脇さん、ちょっと待ってください」

「何でしょう」

「カスミさんは北海道の出身だそうですね」

思い切って口にすると、暫く沈黙があった。ようやく聞こえてきた声は歯切れが悪かった。

「そうです。それが何か」

「浅沼さんから聞いたんですがね。家出して来て、実家とは連絡取ってないそうですね」

「そうです」

「したら、今度の事件と実家と何か関連があると考えたことはないんですかね」

「と申しますと？」

道弘は意外そうな声を出した。

「ただの想像ですけどね。孫を一目見たいと思って実家の人間が連れて行ったとか」

「あり得ませんね」と道弘は断言した。

「どうして」

「カスミが結婚したこと、いや東京にいることさえ、あちらは知らないみたいだからです」

「森脇さんはそれで納得してるんすか」

「仕方ないでしょう」と、森脇は高い声を上げた。「カスミが嫌だと言ってるんだから、それ以上のことはできません。ただね、入籍してますから戸籍取って調べようと思えば調べられるんですよ。それをしないということは、あっちも愛想を尽かしたんだと思いますよ」

「何で、そんな義絶したんですかね」

「さあ、僕にもわかりません。カスミが言いませんから。でも、それが娘がいなくなったことと関係ありますかね」

「わかりません」

内海は真っ暗な部屋の中で、会ったこともない男と、その男の妻について話している不思議さを思った。

「僕は関係ないと思いますね。悪い大人が、何の目的か知りませんが、娘を連れ去ったんだと思います。仮にも親戚が犯人だなんて許せませんよ。いや、内海さんに対してじゃないですよ」

もしや、そんな論議が夫婦の間でも交わされたのかもしれない。内海は道弘にも事件の「感想」を聞きたくて堪らなくなった。しかし、さすがの内海も当事者に聞くのは憚られた。躊躇しているうちに、電話は切れた。俺はいったい何をしているのだ。内海は鳩尾《みずおち》の鈍痛が始まったことにうんざりしながら、次第に下がっていく気温を膚で感じ取っていた。

第五章　浮標

1

早く早く、と慌ただしい声がした。空港の通路で、後ろから人を搔き分けて一家がやって来る。旅行鞄と大きな紙袋を提げた父親。幼児の手を引いた母親。リュックサックを背負った小学生らしい男の子が必死に後を追う。カスミは左端に寄ってやり過ごし、何をそんなに急いでいるのだろうとその後ろ姿をぼんやり見送った。一緒の便で新千歳空港に到着した旅客はほとんどが観光客で、笑いさざめきながら通路を塞いでいる。一家はその都度声をかけ、やきもきした様子でつっかえつっかえ前進して行った。

カスミは周囲を見回した。白いボードの壁、滑走路の見える大きな嵌《は》め殺しの窓、磨かれて光った床。カスミの乗降する東京の駅舎はどこも機能本位で、見えない埃を巻き上げて人が行き交う。ホームには必ずガムがこびり付いて、こぼれた飲み物がべとついた黒い染みを残していた。汚くてもうるさくても、カスミはそっちのほうが好きだった。

この建物は無臭で明る過ぎる。現実感が体から失せていく危うい感覚が起きそうだった。あの急ぐ家族がいなければ、こうして足を運んでいることさえ意識しなかったかもしれない。

カスミはナイロンバッグを持ち直した。わずか三泊の旅行なのに、少し大きめのバッグを持ってきたのは訳がある。この中に、有香のための新しい服や靴が入っている。テレビに出演して小樽からの情報があった翌日、一人でデパートに出かけて買ってきた。有香は緑色が好きだった。行方不明になった朝も、緑のTシャツに白いショートパンツ、黒のカーディガンを着ていた。だから、オリーブグリーンのTシャツとジーンズを選んだ。靴は黒のスニーカー。キティのハンカチやタータンチェック柄のカチューシャも買い揃えた。もしかしたらという期待と、失意の時に自分をどう立て直そうかという予防策とが、めまぐるしく争いながらカスミの内部を駆け巡っている。それと別の次元で、もうひとつの決心が静かに育っていた。

昨夜、そっくり同じ服を貰った梨紗は、「有香ちゃんとお揃いだね」と、短い髪にカチューシャをして新しいスニーカーで部屋中を歩き回った。そして、心配そうな顔をした。

「お母さん、その子が有香ちゃんじゃなかったら、この服どうするの」

「どうしようかしらね」カスミは一緒に首を傾げた。

「あたしは持ってるから要らないしね」

「そうね」

「捨てちゃうの勿体ないよね」

カスミは大人の頭蓋より遥かに小さな弧を描いたカチューシャを手に取って眺めた。カスミの掌にすっぽり入る。子供の頭って、こんなに小さいのだろうか。カスミは思わず梨紗の頭を見る。梨紗は六歳だからもっと小さい。九歳の子供の体の大きさを実感できなかった。ともかく生きていてほしいと願っているのに、その実、有香がどれほどの体格に成長しているか想像できない。九歳になるまで育てた経験がないからだった。自分は心の中で実体のない幻の子供を育てている。

「捨てちゃうかもしれないわね」

そう言ってしまって、カスミは自分で驚く。だが、梨紗は関心が失せたらしく、テレビに見入っていて気付かない。今の言葉を聞かれなかったことに安堵して、カスミはカチューシャを紙袋にしまった。浅沼の話からすると、小樽の子供が有香だという可能性は薄かった。『いつものガセネタです、期待しないほうがいいですよ』と彼は言った。それを聞いて、心が揺らぎ始めた。

もしもその子供が有香じゃないということがはっきりしたら、自分も有香のように消えてしまおうかという考えが唐突に浮かんだ。思ってもいないことだった。これこそが緒方の言った「変化」なのかもしれない。

カスミは、有香が無事に戻るためには自分たちが東京に留まっていなくてはならないと堅く信じていた。波のまにまに見え隠れする浮標《ブイ》のように。以前の住処《すみか》にも、通っていた保育園にも貼り紙をして、有香が戻って来たら何とか居場所を知らせたいと願っていた。しかし、もう東京に留まって待っていることはない。有香の消えた北海道で探し回って生きていけばいい。心の隙間にするりと滑り込んだこの思い付きは、容易に取り除くことができなかった。カスミは、じりじりと有香を待つ暮らしに痛めつけられている自分を思い知る。

まだ梨紗がいる。カスミはたった一人になった娘に視線を当てた。梨紗はリモコンを手にして、あちこちにチャンネルを替えていた。うまく気に入りのCMを見付けて、暢気な顔で一緒に歌っている。昔は妹で、今は一人っ子になってしまった子供。いなくなった姉のために、いつも我慢を強いられている不憫な妹。だが、梨紗はそのために逞しくもある。

もし自分が失踪するなら、今度は子捨てをすることになる。梨紗を捨てることができるだろうか。いなくなった子のために、もう一人の子を捨てることなど。有香のために捨てるのでなく、子をなくした自分のために捨てるのだとカスミは考え、慄然とした。

浅沼に「因果は巡る」と言われたことを思い出す。両親は浜の食堂でカツ丼やらラーメンやらを作りながら、家出した一人娘を今の自分のように探し回ったのだろうか。親を捨て、自分の裏切りがもとで子を見失い、更にもう一人の子供と夫を捨てようとする身勝手極まりない女。それが本来の姿だった。自分が自分であろうとすることは、このように周囲の人間を悲しませ続ける。

そう思い至った時、カスミは石山が別荘を買うと決心した道筋をはじめて辿った気がした。石山はすべてを捨てて自分勝手になろうと努めていたのかもしれない。順風満帆で来た石山だから、大変な決意が要ったことだろう。なのに、あの時の自分は二人の逢瀬だけが「脱出」だと思い、石山に心から賛同はできなかった。いや、信じていなかった。脱出とは逃走だったのだ。それなら今、自分はあらゆるものから逃げてしまいたい、とカスミは思った。でなければ自分が自分でなくなる。いつしかその考えに囚われ始めている。

夜半過ぎ、カスミは梨紗のベッドの傍らに立った。梨紗は横を向き、口を半開きにして熟睡していた。枕元に、有香とお揃いの服がきちんと畳んで置いてある。枕の上にカチューシャが転がっていた。着けたまま寝たのかとカスミは梨紗を可愛く思った。微笑んで、服の上にそっとカチューシャを載せてやる。クーラーの低い音に混じって、梨紗の健やかな寝息が絶えることなく続いていた。カスミは安心し、自分はこの子を心から愛して大事にしている、と心底思った。

が、まだ足りない。梨紗が何かを欠落させているのではない。梨紗がこのまま健康に生きていくであろうという安心感が、自分の中の何かを膨れ上がらせてアンバランスを生じさせる。その正体は、もう一人の子供がどこでどうなっているのかわからない、そして自分もどうなるのかわからない、という茫漠たる不安感だった。安定の中にいる限り、不安は永遠に身を苛むだろう。では、いっそ不安の中に身を投じたらどうなるのだろうか。カスミはいつの間にか胸の前で両手を組んでいた。緒方が無意識にする仕草だった。カスミは、緒方なら今の自分に対して何と言ってくれるだろうと考えたが、想像もできなかった。

カスミは昨夜の決意を反芻しながら、出口を探してビルの中を彷徨っている。行けども行けども同じような土産物店が並んでいる。荷物を持った観光客が海産物や乳製品を物色していた。去年は容易に見付かったのに、今年は出口がわからない。カスミは有香の情報を得て北海道を再訪していることに興奮しているのだった。あるいは、久しぶりにたった一人でいることに。去年もその前年も、家族でこの空港に降り立った。その時は、何度も覗き見た失意の淵をよたよた歩いている思いしかなかった。しかし、どんなに小さな確率でも、今度は希望に通じるものがある。失望ならば、その先には逃走。では、逃走の果ては？　わからない。

カスミはようやく「出口」と書いてある階段を見付けて下に降りた。広い窓から白みを帯びた青空が見える。彩度の低い北国の夏空。毎年訪れる度に懐かしさは消え、また馴染んできつつある昔の空。カスミは暗い湖底から水面に浮き上がろうとするように、目を閉じて肩を下げ、上体をできる限り伸ばした。

ＪＲ線に乗り、札幌に向かう。札幌駅の売店で小樽の地図と夕食用の弁当を買い、駅のすぐ近くにあるビジネスホテルに投宿した。部屋はシングルベッドが置いてあるだけで、これ以上コンパクトにしようと思ってもできないほど狭く、質素だった。昼下がり、たった一人で見知らぬ街にいる寂しさと頼りなさを感じる。しかし、気持ちは落ち着いていた。東京に出て来て、狭い三畳の下宿を誇らしく見回した日を思い起こす。下宿は学校が紹介してくれた中でも、一番安い部屋だった。風呂なし、トイレと炊事場は共同。家出したのだから、金がないのは仕方がなかった。札幌の専門学校に払うと嘘を吐いて東京の学校に振り込み、そのわずかな残金とこつこつ貯めた小遣いのみ。布団と鍋釜を買ったら、尽きてしまった。冷蔵庫やテレビを持つなど、夢に近かった。しかし、身の回りにあるものは貧相でも、当時のカスミには何物にも代え難い豊かな思いがあった。とうとう独立した気がして満足だったのだ。今の気分はその時に似ていなくもない。

夕方、カスミは浅沼に電話を入れた。浅沼は戸惑いの声を出した。

「奥さん、どうも。もうこちらに着かれたんですか」

「ええ、今、札幌にいます。明日、小樽に行ってみようと思ってます」

「それ、私言ったでしょう。ガセネタだから無駄だって。私だってちゃんと駐在に連絡したんですから」

「男の子だというんですか」

「そうなんですよ。それもちゃんとした家の坊やですよ。通報者が余所者《よそもの》でね、皆怒っているそうです」

「でも、私に似ているということでしたから、違っていても一応見に行きたいんですけど」

「ああ、なるほどね。そら、そうでしょうね」

浅沼は絞り出すような声で独りごちた。声音には同情に加えて、面倒臭いという響きもあった。

「私はともかく自分の目で確かめたいのです」

カスミがきっぱり言うと、浅沼は少し冷めた口調で同意した。

「ま、奥さんがそれで納得するならそうしたほうがいいと思いますけどね」

「お忙しいのに、どうもありがとうございました」

返事はなく、電話はそっけなく切れた。カスミはベッドに横たわり、小さな窓から暮れゆく空を眺めた。明日、現地に行って確かめる。子供が有香ならどんなにいいか。しかし、たとえ有香だとしても、これまで失ったものはあまりにも大きく、カスミはその喪失感をどうやって埋めたらいいのかわからなかった。

ベッドサイドテーブルの下にある電話帳に目が行った。不意に、自分に脱出の示唆を与えた古内という男のことを思い出した。カスミは起き上がり、分厚い電話帳のページを繰ってみた。古内建設株式会社。その名前は変わりなくあった。手擦れするほど握り締め、住所と電話番号を諳んじた名刺。電話してみようか。この大胆さは、カスミが部屋にたった一人でいること、解き放たれたことの証左かもしれなかった。逡巡しながら押したボタンだったが、電話はあっけないほどすぐに取られた。

「古内建設でございます」若い女の甘い声だった。

「森脇と申しますが、社長さんいらっしゃいますか」

「どちらの森脇様でしょうか」

女はたどたどしく教えられた台詞を喋る。カスミは一瞬、躊躇した。

「東京の森脇です」

「社長は今、席を外しております。じき戻りますのでこちらからおかけします。お電話番号を」

東京というだけで納得したのか、女は早口に尋ねる。

「わかりました。では、またかけ直します」

古内がいなくて良かったのだと安堵して、カスミは電話を切った。自分はいったい何をしようとしていたのだろう。古内が出てきても、喋ることなど何もないのだ。あの浜の食堂にいた女子中学生など、とっくに忘れているに違いない。二十年以上も前の出来事なのだから。

カスミはナイロンバッグから、有香のために買った服を取り出して眺めた。サイズ130。身長百三十センチの子供服は切ないほど中途半端な大きさだ。自分はこの子を五歳の時に見失った。それは古内が自分に興味を持ち、名刺をくれたことから始まっている。カスミは再びベッドに仰向けになり、自身の奇妙ともいえる運命について思いを巡らせた。

電話が鳴った。カスミは心臓が止まりそうになって飛び起きた。古内からだろうか。そんなはずがある訳がない。ホテルの電話番号を言わなかったし、結婚した姓を告げたのだから。しかし、古内と自分とは特別な絆がある。だったら、この電話もそうかもしれない、という妙な確信も一方ではあった。運命が変わる気がする。受話器を取ると、聞き覚えのある男の声がした。

「もしもし、森脇さんですか」

「はい、そうですが」

「札幌の内海といいます」

ああ、とカスミは当惑の声を出した。なぜ当惑したのか、カスミは自分でも可笑しかった。笑うと、内海は沈黙した。

「すみません、ちょっと勘違いしたもので」

「はあ、そうすか」

「どうしてここがおわかりになったんですか」

カスミは薄気味悪くなった。

「ご主人から頼まれましたんで」

「何をです」

「奥さんと一緒に有香ちゃんを探してくれと、電話貰いましてね」

今度は本当に当惑して、カスミは唇を嚙んだ。内海という男は、今は現役でなくても、警察の臭いを引きずっている。声は低く押し殺され、他人を恫喝することに馴れている。同様の声は警察で何度も聞いた。その憤りと情けなさを当人に説明する訳にはいかない。黙っていると内海が続ける。

「ともかく明日、車で迎えに行きますよ。小樽に行かれるんでしょう」

「そうです」

「九時頃でいいですかね」

「はい」有無を言わさぬ調子に仕方なく同意したカスミは、辛うじて礼を言った。「お忙しいのに、ありがとうございます」

電話は切れた。カスミは、ついさっき浅沼にも同じ礼を言ったと思い出し、苦く笑う。俄に、警察で受けた屈辱的な事情聴取や若い警官がこっそり交わすにやついた笑いが蘇った。

『石山さんとあんた、出来てんじゃないかって噂あるけどね。まさか嘘でしょ』

『因果は巡る』

『不明の子供は、たいがい身内の犯行だって言うじゃない』

しかし、有香を探すためには自分の受けた傷などどうでもいいのだった。カスミは自分を宥める。内海という男にせいぜい協力してもらえばいい。ただ、自分にそのことを告げなかった道弘には怒りを覚える。カスミは時計を見て時間を確かめ、モリワキ製版に電話をした。

「モリワキ製版でございます」

思いがけず元気な道弘の声がした。

「私です。さっき着きました」

「カスミか。どう、そっちは」

「何が」

「天気とか」

「天気はいいわ。あのね、浅沼さんに電話したらバツだって言ってる。でも、明日確かめに行くから」

カスミは具体的に言わなかった。この目で見るまでは告げる訳にいかなかった。

「うん、確かめてくれよ。でないと気になってしょうがない」

道弘の背後からコピー機の唸りがずっと反復して聞こえてくる。

「あなた、内海さんて人に電話したんですって」

「したよ。ボランティアで手伝ってくれるっていうんだから利用しない手はないだろう」

「利用っていうけど、一緒に行くのは私なのよ」

「いいじゃないか」道弘は苛立った声を出した。「お前が一人で行くよりなんぼか」と言って言葉を切る。

「信用できる？」

「何言ってるんだよ。楽だろうって意味だよ」

「そうね、確かに」

「気に入らないのか。何で断ったんだ」

「だって、元刑事だって言うじゃない。あなただって私だって、警察がどんなに頼りないか知ってるでしょう。全然親身じゃなかったし、偏見に満ちてるし」

「人によるだろう。何、子供みたいなこと言ってるんだ」

道弘の言うことは正論だが、どこか投げ遣りな雰囲気もある。カスミは、自分と内海に下駄を預けているような道弘の態度に改めて腹が立った。

「ともかく私に内緒で勝手に決めないでよ」

「お前だって浅沼さんからの電話のことを俺に言ってない」

「私が先に行って確かめたかったの」

「何か探られたくない腹でもあるのか」

急激に変わった道弘の口調に、カスミの顔から血の気が引いた。

「どういうことかしら」

「そっちで誰かと落ち合うつもりなんじゃないか」

「誰かって誰」とんでもない言いがかりに、カスミは怒るどころか気が挫けた。「何でそんなことを言うの」

「石山とのこと、俺が知らないとでも思ってるのか」

あっ、と思わずカスミは声を出した。コピー機の音はいつの間にか消えていた。西陽の射すモリワキ製版の床に出来た光と影の中、受話器を耳に当てたまま立ち尽くす道弘の姿が想像できた。

「最初に警察で聞かされた時は茫然としたよ。そんなことある訳ないなんてお人好しにも庇ってさ。あげく、娘殺しの犯人にまでされそうになるなんて、馬鹿だったよ。あいつが離婚するまでそんな噂は信じられなかったが、もしかしたら本当かもしれんと最近思い始めた」道弘は言葉を切った。

「それで今は？」

カスミの静かな問い返しに、道弘は急き込んで畳みかけた。

「どうなんだ。本当のことなのか」

「本当です、申し訳ありません」

カスミはあっけなく低い声で詫びた。事態を収拾しようとは最早思わなかった。道弘は歯を食いしばっているような音を出した。

「薄汚いことしてくれるなよ。いつからなんだ」

「あの数年前から」

道弘は言葉を失ったように大きな溜息を吐いた。

「ごめんなさい」

「だったら、有香はどうしていなくなったんだ」

「さあ」カスミはつぶやく。「わからないわ、それだけは」

「わからないって、お前本当かよ。おい、返してくれよ。俺に娘を返してくれよ」道弘は何度も繰り返した。「きっと、お前たちのせいだよ。返してくれよ」

娘を返してくれよ、お前のせいだ。道弘の言葉は途切れることなく続く。カスミは目を閉じ、受話器を通じて伝わってくる道弘の呪詛《じゅそ》を、原野を渡る風だと思って聴いている。道弘の声は段々と嗚咽を堪えた涙声に変わっていった。

「お前はもう要らない」

「わかった」カスミは静かな声で答える。「帰らないわ」

「ああ。そうしてくれ。気持ちの整理が付かない」

「有香はどうするの」

「有香は俺の娘だ。死ぬほど会いたい」

「探し続けるわ」

「もういい。俺は皆諦めた。有香もお前も死んだと思うことにする。お前は永遠に探し続けるといい。俺は梨紗と二人で生きていくよ。あの子は俺が好きだ」

「そうね。梨紗をよろしく」

道弘は、泣いていた。カスミはそっと受話器を戻した。不思議と涙は出ない。ベッドにまた横たわり、堅く腕を組んで体を強ばらせたまま考えている。道弘はようやくあんなに欲していた絶望を手に入れたのだ。これからは行方不明になって四年も経つ娘のことを諦め、カスミを憎んで生きるだろう。

小樽の結果を見るまでもなかった。たった今、カスミは本物の漂流に出たのだ。それも波の荒い外海へ。その夜、カスミは夢を見ないで済むように、ホテルの冷蔵庫にあったウィスキーのミニボトルを空けた。夢の中ではどうしても逃げられないからだ。

翌朝、窓から見る空は、灰色の雲が垂れ込めた陰鬱な天気だった。自分の気分を表した空だとカスミは思い、ミネラルウォーターを飲んだ。庫内に昨夜、食べることなく残した弁当が包装も解かれずに残っている。カスミは弁当を開いた。鮭の身に塩分が白く浮き出て、乾いて反っている。飯は固くなり、レタスは茶色く萎びていた。しかし、食べられないことはない。ここで生き残れ、とカスミの中の何かが告げている。カスミは冷え切った弁当を食べ始めた。その時、ドアがノックされた。

ドアを開けると、廊下にリーゼントスタイルの目付きの悪い男が立っていた。黒のスーツに白いTシャツという服装はまっとうな勤め人と思えないが、男には自身を堅い枠に塡め込んでいる窮屈な印象も備わっていた。一重瞼の利かん気な顔に、暗い眼差し。首の周りの肉が落ち、スーツがだぶつくほど痩せている。

「森脇さんですか」

「はい、そうですけど」

「森脇さんでしょう」

余程カスミがぼんやりしていると思ったのか、男はもう一度念を押した。

「ええ」

「自分は内海ですが」

「内海さん？」

「そうです。昨日、電話で話した元刑事です」カスミはすっかり失念していた内海との約束を思い出した。「九時に下で待ってたんですが、来ないから」

「すみません、忘れていました」

カスミの返事に内海は無遠慮に部屋の中を覗き、顔を歪めて微かに笑った。その視線の先に小さなテーブルの上の弁当があった。

「お食事中ですか」

「はい」

「じゃ、下で待ってますから」

内海はジャケットのポケットに両手を入れた。そうすると、ジャケットの表地から太い肩骨が尖って浮き上がった。カスミの目がそこに留まったのがわかったのか、内海は視線を遮るようにドアを閉めた。

カスミは突然眼前に現れた内海という男のことよりも、小樽に行くという大事な用事をどうして失念したのかと考え込んでいる。小樽の結果によって、しようと思っていた決断をすでに昨夜終えていたからだった。武蔵境にはもう戻らない。カスミは急いで身繕いし、荷物を持った。カスミはホテルの小さなフロントに降りて行った。内海はこちらに背中を向けて、タバコの自動販売機の前に立っている。カスミは内海に気付かれないうちにこっそり支払いを済ませた。これからは所持金をなるべく減らさないようにしなくてはならなかった。

「すみません、お待たせしました」

内海の背に声をかけると、内海はちらとフロントのほうに目を遣り、カスミのナイロンバッグに視線を移した。

「今日もここに」

「ええ。この中には子供の服が入っているんです」

「そうすか。じゃ、行きましょうか」

内海のどこか冷えた物言いを、カスミは疑問に思った。内海は何のために、自分の役に立ちたいと申し出てきたのだろうか。

「すみません。心苦しいです」

「いいすよ。ほんと、暇ですから」

「どうして退職なさったんですか」

「病気です」

カスミは内海の異様に痩せた姿にさりげなく視線を走らせた。衰えの感じられる体よりも、不釣り合いな冴えた眼差しにこそ不吉な予感がした。

「そんな時に申し訳ないです」

我ながらしつこいと思ったが、カスミはどうしてもその話題から抜け出ることができない。内海の真意がよくわからないからだった。

「自分が勝手に申し出たんです。こんな言い方して気を悪くしてほしくないんすけど、暇潰しに近いんで。自分は子供いないから、森脇さんの気持ちもわかるようでわかってないだろうしね」

「暇潰しなんですか」

カスミは繰り返した。自分がこれほど真剣になっていることが、他人には暇を潰すための慰みに過ぎない。内海は目だけは緩ませずに、軽く笑った。

「すんません。自分はなんもやることないもんですから、こんな言い方しましたけど。自分の時間が、森脇さんの役に立てたらと思ったんすよ」

内海の時間がどのようなものか、カスミには知りようがなかった。カスミはこの男はどうして有香の失踪事件に興味を抱いたのだろうと考えている。

「ともかく行ってみましょう」

内海は手垢の目立つ薄汚れた自動ドアから先に出て行った。ホテルの付近は小さな問屋街で、ジャンパー姿や地味な背広を着た男たちが忙しそうに行き交っていた。カスミはいったん閉まった自動ドアを再び開けて外に出た。昨日よりかなり肌寒い。おそらく二十度以下だろう。カスミはジーンズの上に黒のナイロンパーカーを羽織った。山の中はすでに秋の匂いが漂っているはずだ、と遠くの空を睨み付ける。ここから車で一時間ちょっと走れば、有香のいなくなった山に行き着くのだった。カスミはたった一人、カブで山道を走り回った四年前のことを思い出した。あの時の悲しい思いや頼りなさは誰にもわからない。誰にもわかり得ない体験。それが自分を強靭にしてきたはずだった。

内海は道路の向こう側に路上駐車した灰色の国産車を指さした。カスミが頷くと、内海はジャケットを冷たい風に翻しながら道を渡った。瘦身の内海が歩く様は、足取りは急いているのに、どこか老いた動物のような寂しさと衰えとを感じさせた。カスミは内海の背に追い付いて堅苦しく話しかけた。

「あのう、森脇は何と言ってましたか。捜索の費用はとても払えないと思いますが」

「ボランティアですから」

「じゃ、ガソリン代は出させてください」

「そら、どうも」

内海はたいして嬉しくもないという様子でカスミを振り返り、頭だけぺこんと下げた。その角度は、頰のこけ方を激しく目立たせる。

内海は助手席のドアをカスミのために開けた。ボンネットとドアに、「バカ」「死ネ」

と落書きがしてある。カスミははっとした。今の自分ではないか。

「これ、拭かないんですか」

「いいすよ、そんなの」

「みっともないじゃないですか」

「いいんすよ。実際、馬鹿なことしてるんですから」

それは自分も同じ。俯いたカスミに、内海は謎めいた謝罪をした。

「すんません。森脇さん、気にしないでください。これまで自分は馬鹿をやってなかったんで、今の自分が好きなんすから」

長い間乗っていなかったのか、車内はうっすら埃が積もっている。カスミは薄汚れた助手席のシートに腰を下ろした。内海はゆっくり車を発進させながら、自然な動作でカセットテープを入れた。カスミの知らない英語の曲が低く流れ出した。

「うるさいすか」

「いえ、どうぞ」

「すんません。最近、これしか聞けなくなったんで」

「これは何という曲なんですか」

カスミの質問に内海は答えなかった。無視している風でもなく、他人に告げたくないのだとカスミは思った。内海は音楽と共に、自分の内側に潜り込んだかのように黙り、急に存在感を薄くした。カスミは内海に気を遣わなくてもよくなったので緊張が解け、細かな砂埃が溝に堆積した窓枠に肘を突き、外を眺めた。市内は渋滞していた。

「娘さんがいなくなった場所にはいつ行くんすかね」

内海が口を開いた。カスミは左の車線に並んだ乗用車を眺めていた。営業らしい若い男がハンドルにマンガを立てかけて一心に読んでいる最中だった。

「明日行こうかと思ってます」

「和泉さんのとこに泊めてもらったらどうなんですかね」

「あの奥さんはそんなことしません」

「あ、なるほど」

内海は訳知り顔で頷く。内海がどこまで事件を知っているのだろうとカスミは内心懸念していたのだが、どうやらほとんど摑んでいるらしい。安心とも不快ともつかない妙な気持ちになった。

「和泉さんをご存じなんですか」

「知ってます。あの爺さんは地元の有名人ですからね。それにあの事件の時、自分も山狩り行きましたもん」

「水島さんも知ってるんですか」

「はあ」

水島については内海は言及を避けた。渋滞を抜けた後も、内海は黙ったまま法定速度を守り、退屈なほど安全運転をしていた。テープの音を遮って、カスミは口を開いた。

「内海さん、浅沼さんから聞きましたか。小樽のは当てにならない情報だ、というんです」

「いや、なんも知りません」内海は右手から抜き去るトラックをちらと眺めてから、さりげなく答えた。トラックの荷台には乳牛が四、五頭載せられている。「ガセネタなんですかね」

「わかりません、だから確かめに行くんです」

「そんなの刑事に行かせればいいじゃないすか」

「でも、自分で確かめます」

「浅沼のこれまでの捜査に不満あったってことですかね」

内海は鋭い目でカスミを見た。

「誰が捜査したって同じでしょう。わからないんですから」

急に車内が静かになった。内海はカセットテープを取り出した。カスミは何も言わずに道路のセンターラインを見つめている。カスミの家の前の広い国道は、追い越し禁止のため、黄色く塗られていた。そのため、子供のカスミはセンターラインというのは黄色いものだと思っていた。

「自分がやってたら違ったと思いますがね」

内海が口を開く。自惚《うぬぼ》れや悔恨とは無縁の寂しさがあり、カスミは思わず内海の痩せた顔を見た。

「どういうこと」

いや、と内海は言いかけ、それから面倒そうに笑った。自分自身のことを伝えようとして放棄したのだとカスミは思った。

「つまり、内海さんが担当の刑事だったら事件はもっと早く解決してたってことですか」

「簡単に言えばそうです」

「適当なこと言わないでください、こっちは真剣なんですから。占い師だって同じこと言うんですよ。結果論でものを言う人は嫌いだわ」

カスミは強い口調で言った。内海は苦笑する。

「誰もがちょこっとずつ本当のことを言わないとします。物事は少しずつずれていって奇怪なものになる。森脇さんだって何か隠しているかもしれないし、旦那さんだってそうかもしれない。石山さんですか、あの人だって奥さんだってわからない。死んだ和泉って爺さんだって何を考えていたかわからないのに、誰もちゃんと捜査してないすよね。子供探すのに精一杯で手が回らないんだ。自分だったらって思いますよ」

「あなただったらどうするんです」

「徹底的に人間関係洗いますね」

「調べると何が出るんです。有香が出て来るの？　死体が出て来るんじゃないの」

カスミは挑戦的に言った。内海の真意に潜むものが悪意ではなく野望の一種なのだと、ようやく感情の芯を捉えた気がした。野望にせよ、悪意にせよ、いずれにしてもカスミにとってはどうでもいいことだった。

「森脇さんには申し訳ないすけど、もし死体が出れば、立件できる訳ですから」

「立件するとどうなるんです」

「誘拐殺人という、でかいヤマになります」

「それを解決するとあなたは偉くなれる訳ね」

内海は前方を見たまま、頷いた。いつの間にか高速道路を走っていた。

「だけど、自分はそんなことはもうどうでもいいです」

「辞めたからでしょう」

「そうす。警察には二度と戻らないから、関係ないです」

「じゃ、どうしたいんです」カスミは苛立った。「最初から変だと思っていたの。ボランティアだって言うけど、会ってみればよくわからない。どうしてあなたが調べてくれるんですか」

「さあ」内海は他人事のように首を捻った。「自分でもわかんないすね」

内海の運転する車は、車内のひりつく会話をよそに、いやにゆっくりと高速道路を走っている。「小樽へ33㎞」という標識が出た。ビルが林立する街から、似たような住宅が並ぶ単調な景色に変わった。

「親は自分の子を殺さないもんですかね」

突然、内海が尋ねた。

「それは私たちへの疑いですか」

カスミは昨夜完全に決裂した道弘を思い出しながら問い返す。

「一般論です。自分はそういう親子の情はわかんないんで」

「私はそんなこと考えたことないわ」

しかし、梨紗を捨てる決意は一種の子殺しではないかとカスミは内心怯えた。内海はカスミの動揺に気付かず、勝手に続けている。

「自分の知ってる事件では結構ありましたけどね。実の子に保険掛けて殺したり、金属バットで殴り殺したり。若い夫婦が折檻して殺す事件なんて山程あります」

「そんなの私の出来事とは関係ないでしょう。全部同じ事情がある訳がない。あなたはさっき子供がいないからわからないと言ったけど、その通りなのではないですか」

「浅沼さんは子持ちですよ。だけど、あんたはその捜査も気に入らなかった。警察はいったいどうしたらいいんですかね」

「私は警察じゃないからわからないわ」

「じゃ、石山さんについてはどう思いますか」

「どうして石山さんのことを聞くの」

カスミは内海の横顔を見た。内海が窪んだ目をこちらに向けた。

「いや、なしてあんたがたは北海道まで来たのかと思って」

胸の中で幾つも答えを用意しながら、これが内海の捜査方法なのかとカスミは辟易している。それはもうすべて終わったことだった。蒸し返しというより、回顧に過ぎない。

「石山さんですか」カスミは大きく溜息を吐いた。「あの人たちには本当に気の毒なことだったと今は思ってます。離婚したみたいだし、石山さんは行方がわからないというし」

内海は驚いたように、へえ、と大きな声を出した。

「どうして行方がわからないんですか」

「事業が失敗したとか聞いてますけど、よくは知りません」

「借金取りにでも追われてんですかねえ」

「刑事さんは、すぐ悪いほうに想像するから」

「いや、行方くらますってのは、大概そういう背景があるんですよ」

「そうとも言えないでしょう。どうしてそういう風にしか考えられないのか、私にはわかりません。内海さんの想像を超えたことがあるかもしれないでしょう」

カスミは浮標を考えている。人が消える時は、何かに追われているという理由ばかりではないはずだった。誰かの浮標のつもりで生きていたのに、それが虚しくなった時。あるいは浮標を見失って海に沈んでいく時。

「そういう発想は確かになかったすねえ」

意外だったのか、内海は驚くほど素直につぶやいた。カスミはそれに返事をしない。高速道路の右側に突然、石狩湾が見えたからだった。同時に雲が晴れて太陽が束の間姿を現した。海は凪《な》いでいて青く、きらきらと陽光に輝く。急に車内が明るくなった。内海が海を見て話を変えた。髪のポマードが光を反射する。

「森脇さん、小樽に行ったことありますか」

「いいえ」

「丘の斜面にへばりついた平べったい街ですよ。朝里海岸は？」

「勿論、ありません」

「きっとびっくりしますよ」内海は小さな笑いを漏らした。「あれでも一応、海水浴場ですから」

自分の家の前の浜も、海水浴場だった。七月終わりから八月中旬までのほんの二十日間ばかりは、水着を黒い砂で染めた男女で賑わった。カスミはその期間だけ店を手伝った。札幌に住む内海があの浜を見たなら、朝里を笑うことはできないだろう。カスミは、幼い自分が水着を着て浜を歩く様をふと思った。いつしかそれは有香の顔となり、体となった。有香は近所の小学生から貰った赤い水着を着て、砂岩を拾っては割り、拾っては割りしている。カスミは両手で目を押さえた。

「大丈夫ですか」

内海がカスミの顔を覗き込む。心配しているというよりは、カスミの心の中で何が起きているのか知りたいという表情だった。カスミは目を上げたが、内海を見ようとはせず窓外の飛び去る景色を目の端で捉えた。「朝里出口」と書いた表示が見えて頭上を過ぎ去ると動悸が激しくなった。大塚という老女が見た子供は男の子らしい。希望は難破しかかっている。が、まだカスミの心の中では、諦めきれないものがひっそりと息づいていて、時々立ち上がろうとして動く。それが失ったものを探し続けるという辛さなのだった。

内海は高速を降りた。夏草が茂る平たい丘を抜け、車は海に向かって進んで行く。やがて、小さな駅舎の前に出た。駅舎の前は小さな広場になっていて、前に車がやっと擦れ違える程度の細い道が海沿いに延びている。朝里のメインストリートだった。道路には、海水浴客のものらしい乗用車が一列に駐車して、ただでさえ狭い道を更に塞いでいた。道路沿いに、寂れた商店が数軒と、漁師の家がぽつぽつと続いている。そして、他の建物とそぐわないけばけばしいリゾートホテルと新しいコンビニが軒を並べて建っていた。家並みの裏はすぐ海が迫り、カスミは大量の水の気配を感じて緊張する。それがカスミの人生に付いて回っている。

「ここですね」

内海は駅前の広場に駐車した。疲れた様子で胃の辺りを押さえている。額に脂汗が浮いていた。

「具合が悪いの？」

カスミが聞くと、内海は不機嫌そうに目を背けた。

「ちょっと腹が痛いだけです。じきに治まりますんで」

「あそこでお水でも買ってきましょうか」コンビニを指さす。

「いいです。持ってますから」

内海は運転席のドアポケットを示した。そこにミネラルウォーターのペットボトルが置いてあった。

「でも、冷たいほうがいいのでは」

「温《ぬる》いほうがいいんです。自分は胃を切りましたから」

「じゃ、休む所を探してきます」

カスミは内海を残し、ドアを開けて外に出た。途端に陽が翳り、冷たい海風が吹いてきた。カスミはたちまち灰色に変わっていく空を見上げた。磯の匂いは不思議なほどしない。しかし、近くに海が迫っているという圧迫感だけは確実に存在している。身に覚えのある感覚だった。

カスミはコンビニに入り、レジの若い女に喫茶店はないかと尋ねた。飲食店は駅前の蕎麦屋だけ、と答える。仕方なしに車に戻った。内海は座席を後ろに倒して目を閉じていた。

「内海さん。お蕎麦屋さんしかないそうです。車で横になっててください。私は大塚さんに会ってきますから」

「後で行きます」

内海は両手で目を塞ぎ、カスミの顔を見ずに答えた。カスミは静かにドアを閉めた。内海の疲れ方が気にかかったが、それどころではなかった。万が一でも有香がいるかもしれないと思うと気が急《せ》く。カスミは駅舎の前にある公衆電話から大塚に電話を入れた。

「森脇といいますが」

大塚はびっくりしたらしく、絶句した。

「あのテレビの人ですか」

「そうです。今、朝里に来ましたので、お話を聞きたいんですが」

「やっぱり見えたんですか。すみませんねえ。何だか間違ったみたいなんですよ」慌てている様子が目に見えるようだった。「お会いしてもお役に立てないみたいで」

「せっかく来たのですから」

大塚は不承不承、ホテルの名を告げた。コンビニの横に建つリゾートホテルだった。そこのオーナーなのだという。カスミは小さな広場を横切った。内海の車の横を通ったが、内海はカスミに気付かず、腹に手を当て、ぼんやりと空を見つめていた。表情が少し和らいでいる。胃痛は治まりつつあるのだろう。

「ごめんください」

カスミはホテルの小さなフロントで声をかけた。リゾートホテルと看板には出ていたが、フロント脇の壁には意匠を凝らしたベッドルームの写真が張られ、造りは明らかにラブホテルだった。

奥から声がして、大柄な老女が出てきた。紫色のラメ入りセーターに黄色のパンツという派手な形《なり》で、セーターに合わない朱色の口紅を付けている。

「ああ、すみませんねえ。わざわざ。あたしが大塚です」

大塚はカウンターにえくぼのある太った肘を載せた。

「先日はお電話ありがとうございました」

「いえね、何とかお役に立ちたいと思って、いてもたってもいられなくってね」と、愛想笑いをする。

「あのう、間違いってどういうことでしょうか」

「あたしが見た子はね、男の子だったんですよ。テレビであたしの声が流れたでしょう。そしたらすぐに近所の人から電話がかかってきてね、『あんたの言ってる子供は男の子だ。中学一年で、ここの中学に四月から入学した』ってね。もう恥ずかしいし、申し訳ないしで、あたしの立場もないんですよ。刑事さんにも叱られました」

「恵庭署の浅沼さんですか」

「そうそう。それに漁師小屋に住み着いて、なんて言っちゃったけど、本当は違うんですって。そこのお家なんだって。もともと、ここの人なんだって。写真見ます？」

大塚はカウンターの下から、茶封筒に入った写真を取り出した。

「何の写真でしょうか」

「中学の入学写真。昨日、そこの家が持ってきたんですよ。警察か森脇さんが来たら、この証拠写真見せてくれって怒ってね」

「見せてください」

カスミは冷静に言って、写真を手にした。「磯浜中学」と下に印刷されている三十人近い中学生の集合写真だった。大塚は黙って、前列にいる一人の男子中学生を指した。大きめの学生服を着た顎の細い少年が、眩しそうに顔を顰《しか》めていた。

「確かに男の子ですね」

カスミはちっとも自分に似ていないと腹立たしく思いながら、ようやく言葉を発した。

「名前もね、ちょっと似てたんですよ。豊ですって」

「ユタカを有香と聞き間違えたんですか」

大塚は照れ笑いを浮かべた。

「恥ずかしいわよね。あたしは余所者だから、その家の事情とか知らなくてね」

「大塚さんはどちらの方なんですか」

声が力をなくしていく。実のところ、そんなことはどうでもよかったのだ。

「札幌なんですよ。だから、あたしもここで商売し辛くなっちゃって困ってるの」

「そうですか」

「だけどすみませんねえ。お気の毒だからさあ、お役に立ちたいと思って電話したのに、とんだことしちゃったみたい。もう、あちこちから問い合わせの電話があって大変なのよ。警察からも来たし」

「あちこちって、どこから電話があったんですか」

カスミは不思議に思った。

「マスコミの人とか、いろいろですよ。本当にすみません」

大塚は、カスミに一刻も早く立ち去ってもらいたいという風にそわそわした。

「わかりました。じゃ、そのお宅に行っても無駄ですね」

「ええ、迷惑かけると思いますので、それだけは勘弁してください」

カスミは暗然とした気持ちを立て直し、丁寧に頭を下げた。

「じゃ、失礼します」

「あ、すみませんけど、これ取ってください」

大塚はカウンターの下から、封筒を差し出して手渡した。

「何ですか、これは」

「カンパっていうの。せめてもの気持ちなんで」

「ありがとうございます。喜んで戴きます」

カスミは礼を言って素直に受け取った。以前は寄付を頑なに拒んでいたが、子供を探し続けることは、現実に金が要ることだった。カスミが躊躇いなく受け取ったので、大塚は拍子抜けしたらしい。急に冷たい素振りになった。

「じゃ、頑張ってくださいね」引っ込もうとする。

「あの、ちょっと」とカスミは声をかけた。大塚が面倒臭そうに振り向いた。

「何でしょう」

「あの子がどうして私の顔に似ていると思ったんですか」

「それもねえ」と、大塚はカスミの顔を熱の冷めた目で観察している。「実物にお会いすると違うのよねえ。全部、あたしの妄想なのかもしれないわね」

「そうです、きっと」

カスミはきっぱりと言い捨て、あっけに取られた顔をした大塚を置いてホテルを出た。推理だけではなく他人の妄想にも悩まされ続けてきた。それも百件を超える数の。カスミはこれまでの出来事をあれこれ思い出した。

『絶対に有香ちゃんに間違いない。そっくりな子を近所で見た』

『ゆかという名前の転校生が来た。連れ子らしいから、有香ちゃんだと思う』

道に飛び出して生えている夏草の陰で、カスミはバッグに突っ込んだ封筒を取り出して眺めた。糊できっちりと封をしてある。糊を剥がして中身を覗く。一万円札が二枚入っていた。大塚は、その中学生のいる近所の家にも現金の入った封筒を届けたに違いない。気の毒なことだ、とカスミは苦笑する。だが、笑いは次第に歪んでいった。これからどうしたらいいのだろう。家に帰らずに一人で有香を探すと決心したものの、それは小樽の情報を確かめるという目的があったからだった。あれこれ思案する余裕もなく、カスミは湖底の泥にずるずると埋もれていく気持ちをどうにも治めることができない。そのまま道にへたり込みたいくらいだった。内海が一緒でなくて良かったと思う。こんなところを他人に見られたくなかった。

ホテルの前から、右手に延びた浜が見えた。海水浴場があるらしい。カスミは海のほうに歩いて行った。陽は翳ったままだ。空はどんよりと曇り、雨が来るのか、海から冷たい風が吹いていた。浜を一目見て、カスミは驚きの声を上げた。あまりの狭さにだった。道から波打ち際まで、わずか数メートル。砂浜はなく、川の下流に転がっているような大きな丸い石がごろごろしている。石には黒い海藻がへばり付き、海の色もまた黒い。

狭い浜に、さながら玩具の木造バンガローが数軒並び、横に駄菓子屋のような海の家が「氷」と寒々しい垂れ幕を掲げていた。青いレジャーシートを敷いたカップルや家族連れが浜の石に座り、寒いのか、皆、猫背気味になってぺたんと凪いだ海を見つめている。バンガロー前の炊事場では、赤い水着姿の女が大量のキャベツを刻んでいた。洋式バスタブを二つ張り合わせた急造のシャワー室。移動トイレ。それらがすべて、数メートル幅の浜にごちゃごちゃと存在していた。侘びしい浜だった。カスミの家の前の浜は何もない分、まだましだった。

カスミは石を踏んで波打ち際に近付いた。波は全くなく、黒い色の海水が寄せるというのでもなく、どんよりと溜まっている。小さな巻き貝までが黒く、丸い石に無数にくっついている。カスミは気味悪さに悲鳴を上げた。生き物のにおいのしない黒い海。ここに有香がいる訳がなかった。

カスミは屈み込み、海の水に指で触れてみた。冷たかった。この海を陸沿いに北に向かえば、自分の生地に行き着くのだ。突然、漂流しているという感覚が蘇り、涙が頰を伝った。涙はカスミの立っている石の上にこぼれ落ちた。その染みもまた黒い。内海の声がした。

「森脇さん」

慌てて涙を拭い、振り返る。

「どうでしたか」

内海が道路に立っていた。顔色は良くないが、すっきりした面持ちをしている。カスミは注意深く石の上を渡り歩いて内海のところに戻った。

「駄目でした。男の子で中学一年だって。写真も見せてもらったから間違いないです。大塚さんは札幌の人だから何も知らないで、電話したそうです」

内海は横を向いたまま何も言わなかった。その目は鋭く、海の彼方を見ている。内海は知っていたに違いなかった。

「知っていたんですか」

「ある程度は」

「だったら、わざわざすみませんでした」

自分の気が済むようにと思ったのか、あるいは自分の反応を確かめたかったのか。カスミは内海を見上げる。内海は目を細めて浜の光景を眺め渡している。

「いいすよ。残念だったですね」

「もう大丈夫なんですか」

「はあ。治りましたんで」

内海は触れられたくないらしい。

「お蕎麦屋さんにでも寄ってから帰りませんか。もう三時ですものね」

内海が同意したので、カスミは先に歩き出した。一軒しかない駅前の蕎麦屋に入り、薄暗い隅の席に向かう。二人の女性従業員はテレビの前で笑い転げ、カスミと内海をちらと見たきり何も言わなかった。カスミは脂染みた座布団の上で考え込んでいた。緒方なら、今の自分に何と言ってくれるだろうか、そればかりが頭の中を巡っている。緒方の言葉が欲しかった。漂流する我が筏の漕ぎ手。陸地は相変わらず見えない。メニューを見ていた内海が顔を上げ、ぼんやりしたカスミに声をかけた。

「何にしますか」

カスミは我に返った。様子を窺っていた従業員が注文を取りに来た。カスミは熱い蕎麦を頼み、内海はうどんにした。

「がっかりしましたかね」

当たり前ではないかとカスミは大きな溜息を吐く。

「でも、ここにいなくてよかったような気もします」

カスミは店の中を見回した。店というより、他人の家の散らかった居間に上がり込んだ気がした。厨房は見るからにだらけ、店の隅には読みかけの新聞や脱いだままの服が置いてある。注文を通した従業員はまた椅子に座り込んで、バラエティ番組に見入っていた。

「何でですか」

「よくわかりません」

カスミは素っ気なく答える。実際、わからなかった。

「あ、そうだ」カスミは、バッグから封筒を出した。「大塚さんにこれを戴きました」

「金ですか」

「ええ、二万も入ってます。これよかったら、内海さんに」

「いいすよ。金には困ってませんから。退職金と保険がありますんで」

内海は顔を上げずに答えた。

「だけど、治療とかにお金かかりますでしょう」

「いや、もうかかりませんから」

内海はぴしゃっと断った。拒絶の激しさと目に現れた覚悟に、カスミはある予感を感じて鳥肌が立った。

「どうしてかからないんですか」

「もう病院には行かないことにしましたんで」

内海は冷ましたうどんを一本一本丁寧にすくい上げ、野生動物のように真剣な顔で咀嚼し始めた。カスミは病院に行かない理由を尋ねてみようかと思ったが、やめにした。そこまで関わる必要のない人間だった。

蕎麦屋を出ると、冷たい海風は止んで気温がぐんぐんと上昇している。太陽が雲間から出ていた。車のドアを開けた途端、吐瀉物《としゃぶつ》の臭いがした。

「吐いたんですか」

「すんません。臭いますか。掃除したんですけど」

「そんなことは気にならないけど」

「胃痛と吐き気はしょっちゅうなんですよ」

カスミは内海に運転させて帰るのが心配になった。

「私、運転できたらいいんだけど、免許ないんです」

「札幌まで三十分もかかりませんから、自分が運転します」

「じゃ、札幌駅で降ろしてください」

「ホテルは自分の家の方向ですから、送りますよ」

内海は試すかのように言う。カスミは仕方なく助手席に座り、たった数日間だけでも希望を繋いでくれた土地をあっけなく後にした。

2

いつの間にか居眠りをしていた。森脇さん、と呼びかける内海の声でカスミは目を覚ました。慌てて周囲を見回す。すでにビジネスホテルの前まで帰って来ていた。背の低いビルが建ち並ぶ問屋街は人通りが絶えて、駅近くにありながらも街外れの寂しさを漂わせている。真夏だというのに薄ら寒い天候のせいもあるのだろう。カスミは西の空に傾いた太陽のぼんやりした輪郭を、厚い雲を透かして眺めた。

「まだ五時前なんですね」

小樽でのことが、まるで夢の中のように遠く、そして嘘臭く感じられた。あらかじめ予想していたとはいえ、またひとつ落胆が積み上げられるのを感じる。心の中は失望でいっぱいだった。これからどうしようかとカスミは途方に暮れた気持ちで、ビジネスホテルの目立たぬ入り口を眺める。

「明日の朝も同じ時間に来ますから」

内海に言われて、カスミは嘘を吐くのが馬鹿らしくなった。

「すみません、内海さん。私、ここ引き払ったんです」

内海は理由を敢えて聞こうとせず、口元にやや意地悪な笑みを浮かべた。カスミは内海がそのことを知っていたのだと確信する。自分が口に出すまで待っている、そんな内海のやり方が気に入らなかった。

「知っていたんでしょう」

「いえ、知らないす」

内海はくたびれた様子でそっぽを向く。

「この近くに安い宿はないですか」

「支笏湖まで行ってしまえばいいじゃないですか。どうせ明日行くんでしょう」

「そうですけど」有香の消えた土地で一人過ごすのはもうさすがに心許なく、札幌の街中にいたかった。しかし、そうは言いたくない。「この時期は宿も取れないだろうし」

「じゃ、近くのカプセルホテルかなんかでいいすか」

「はい」

内海は首を傾げていたが、やがてゆっくり車を発進した。カスミは後ろの席から有香の服が入っているナイロンバッグを取り、降りる準備を始めた。内海はすぐ先の赤信号で停まり、カスミのほうを向いた。

「森脇さん、何であそこ引き払ったんですか。そんなに高くないでしょう。一泊六千くらいじゃないすか」

「それでも高いです。私、当分家に帰らず探そうと思いますから」

「当分って、どのくらい」

「さあ、お金の続く限り。なくなったらこっちで働いてでも」

「お子さん、いいんですか」

「ええ。森脇に任せました」

泣いていた道弘。もう会えないであろうもう一人の娘。カスミは視線を落とした。黒いアスファルトにはっきりと刻印された横断歩道の白線の上を、通行人の靴が横切って行く。その靴を目で追ううちに、内海が自分の表情を窺っているのに気付いた。カスミは不快になって顔を背ける。信号が青になった。なかなか出て行かない内海に苛立って、後ろの車がクラクションを鳴らした。背後を睨《ね》め付け、内海はのろくさと交差点を過ぎて左側の小さなビル前に停車した。激しい音をさせてサイドブレーキを引きながら内海が尋ねる。

「探すって言うけど、どうするんですかね。何か当てでもあるんですか」

「いえ、特にないです」

カスミは「探す」ということの漠然とした中身について考えている。それは、「帰らない」ための言い訳でもある。

「ともかく、私は家に帰らないことにしたんです。だから、あの人にも報告しないでくれませんか」

「はあ」内海は解せない顔で頷き、それから痩せた手でしきりに尖った顎を擦った。

「旦那さんと喧嘩でもしたんですか。どういうことで」

「刑事さんはすぐにそう取るのね。帰らないといえば喧嘩。喧嘩といえば原因。物事が全部はっきりしてればいいんですね」

カスミの反発に内海は平然と答えた。

「誰でも考えることを真っ先に言うだけですから」

「じゃ、あなたの奥さんが家に帰らないと言ったら、夫婦喧嘩をしたのか、原因は何か、と杓子定規に考えられても構わないんですか。もっと他の理由だってあるかもしれないのに」

「うちのこと、何か知ってるんですか」

内海が嫌な顔をしたのでカスミは驚く。

「本当なんですか。偶然ですね」

「うちはいいです。それより、自分のことで旦那さんと喧嘩でもしたんですかね」

「それもありますけど、それだけじゃないんです」

「家庭不和ってやつですかね」

「お宅はどんな理由で奥さんが出て行ったんですか」

カスミの言葉に内海は苦笑いを漏らした。

「森脇さん、行き場所がないんだったら、自分のとこに来ますか」

思いもかけない内海の申し出にカスミは啞然とした。内海はハンドルに両手を置き、前方を眺めている。

「内海さんのお宅にですか。奥さんは何て言うかしら」

「女房は滝川の病院で看護婦やってます。なに、女房が一緒にいたって、別に構いませんよ」

「でも、どうして」

「だって、金が惜しいんでしょう」

嘲るような内海の口調に、カスミは思わず本音を告げる。

「それはそうだけど、あなたがどうして私たちの事件に興味を持っているのかもわからないのにいいんでしょうか」

「いいんじゃないですか。自分は胃ガンです。もうじき死にます。あんたに金をせびろうとも、脅迫しようとも何とも思ってない。自分でも、どうしてあんたの事件に興味を持ってるのか知りたいですしね」

さらりと出てきた内海の言葉の重さに驚き、カスミは内海の目を覗き込んだ。見返す内海の眼光は澄んで強い。

「お病気ってそんなに悪いんですか」

「薄々勘付いていたでしょうが。目付きでわかりますよ」

カスミは何も言わずに下を向く。終業なのか、左手のビルから男女の社員が十人ほど固まって出て来た。連れ立って飲みにでも行くのだろう、笑いさざめきながら歩道をいっぱいに占領している。カスミは思い切って提案した。

「じゃ、こうしませんか。私はあなたを看病しますから、お宅に無料で置いてください」

「看病？」内海は皮肉な顔をする。「死ぬまでですか。短いですよ」

カスミは暫く言葉を失ったが、辛うじて言った。

「私はその間、有香を探しますから」

「自分も一緒に探しますよ」

「なぜ。その理由は」

「わかんないですね」

「いったい、何がわかんないんです」

カスミはなかなか核心に近付けないことにひどく苛立ち、思わず内海の黒いジャケットの襟を邪険に摑んだ。肉の落ちた首筋が露わになる。

「内海さん、どうしてなのか、訳を言ってください。いずれ死ぬというあなたがどうして興味があるんです」

内海は乱暴にカスミの手を払いのけた。力は強く、尖った指の骨がカスミの手の甲に当たって痛かった。

「わからないって言ったじゃないですか。そんなことどうでもいいでしょう」

「どうでもよくないです。痛くない腹まで探られて傷付くのは、いつもこっちなんですから。どういうことなのかわからない」

「自分だってわからないすよ。ただ、死ぬ前にこれまでしなかった仕事のやり方をしてみようかと思っただけです。あんたに何が起きたのか知りたいんです」

「暇潰しって口を滑らせたじゃないですか」

「それもあります」

「私がこんなに苦しんでいることが、あなたがうまく死んでいくための材料になる訳ですか。暇潰しになる訳ですか」

カスミは腹立たしさを抑えることができない。病人に酷な言葉だと思いながら、確かめずにはいられない。

「自分だってじきに死ぬことは大変な苦しみですよ。あんたにそれがわかりますか」

「わかってるつもりです」

カスミは低い声で応じたが、自信はなかった。また、子供を見失った自分と死にゆく内海とどちらの苦しみが大きいのかも考えられなかった。命が限られていることを知るのも怖ろしいことだろう。しかし、内海と自分の境遇が入れ替わっても構わないと思う自分もいるのだった。内海も比較の虚しさを感じたのか、急に力を落としてつぶやいた。

「まあいい、行きましょうや。疲れた」

内海のアパートはそこから十条ほど北に上がって東に外れた新興住宅地にあった。内海は原っぱ同然の月極駐車場にカリーナを停めた。借り主の名がマジックで無造作に書かれた木片が、地面に等間隔に刺してあるだけの簡素な駐車場だった。まるで墓標だ、とカスミは内海の名前が消えかかった木片を眺める。それは雑草の茂みの中に倒れそうになっている。内海は木造モルタル塗りのアパートを指した。

「あれです」

カスミは内海の後をついて外階段を登った。二階の端にある内海の部屋はがらんと片付いていて、ほとんど何もない。内海の精神の荒涼が現れているような素っ気なさだった。大病を患っているはずなのに、そこには薬品の匂いも他人の手厚い看護の跡もなく、普段から一人でこういう生活を送っていたのだろうとカスミは想像した。内海は奥の部屋の襖を開けて振り向いた。

「自分はちょっと横になりますんで」

カスミは段々と暗くなっていく部屋で、ぽつねんと内海が起きるのを待っていた。テーブルの上には何種類かの薬袋が置いてある。それを見ながら、カスミは死病に冒されるというのはどういうことかと考えている。陽が落ちるように命が尽きていくことか。日が暮れれば徐々に部屋の四隅は暗がりに溶け込み、真夏にも拘らず足先から冷たさが忍び寄ってくる。いつまでも明るい日向《ひなた》にいたい人間にはそれだけでも怖ろしい。時間が経つ。そのことが意識されるからだった。自分も有香という一個の時計を失い、幻の時間を追いかけていたのではなかったか。早く時が経って有香の存在そのものを忘れ去ってしまえたらと思う反面、このままでは有香が自分を忘れてしまうと焦ってもいる。要するに、生きているのか死んでいるのかわからない子供を抱えた自分も、死を目前にした内海も、時間が公平に過ぎていくこの現実と折り合いがつけられない人間たちなのだった。カスミは冷たくなった素足を椅子の上に載せて両手で抱え、できる限り背を丸めた。どうしようもなく一人であることが遣る瀬なかった。

薄暗くなった。内海が起きる気配はない。カスミは仕方なくテレビをつけた。ちょうど六時半のニュースが始まったところだ。国会と議員汚職の話題が終わり、サッカー選手の特集に変わる。やがて、いつも梨紗が楽しみにしていたアニメ番組が始まった途端、カスミはテレビを消した。四角い箱が発していた青白い光が消え去ると、室内は真っ暗になった。カスミは息詰まるような圧迫感を覚え、慌てて部屋の照明をつけて回った。玄関灯、真上の蛍光灯、台所、洗面所、便所。陽に灼けた畳の四隅がくっきりと出現した。影は消え、すべてが白々しい蛍光灯のもとに浮かび上がる。自分の顔さえのっぺりと光っていることだろう。カスミは新しく生まれ変わった気がした。小樽で有香が見付からなかったら帰らない、という決心。今日はそれが実現した記念すべき日ではないか。喜来村を出た時以来の脱出なのだ。しかし、この脱出は家出の時と違い、希望などないに等しい。これからどうすればいいのだろう。カスミは見知らぬ部屋で立ち尽くす。

空腹を感じて、カスミは内海の小さな台所を覗いた。油の飛沫が跳ねた跡のある壁に、おかずや五分粥の作り方と野菜の下ごしらえに関するメモが貼ってあった。小さな整った字で簡潔に書いてある。内海の妻の心遣いなのだろう。それを見ながら粥を一合と、炊飯釜で普通の飯も炊く。

総菜がないので買い物に行こうと支度していると、がたがたと立て付けの悪い音がして襖が開いた。内海はTシャツにパジャマのズボンを穿いた姿で、寝室の闇と明るい六畳のはざまにぼんやり佇《たたず》んでいる。カスミがいるのを見て、戸惑いの表情を浮かべた。戸惑いというより嫌悪に近い。

「具合どうですか」

「ちょっと貧血気味らしいんで」

「気分悪そうですね。人がいるのが鬱陶しいという顔をしている」

「よくわかりますね」

内海は疲れた顔で畳の上に胡座《あぐら》をかいた。

「痛いんですか」

「いや、体がだるいんですわ」

「おかずがないから何か買ってきますけど、何がいいですか」

「食いたいものでいいですよ。自分は食欲がないから」

「そうですか。じゃ、消化のいいものでも心懸けます」

無理に食べろと言っても仕方がない。カスミは狭いアパートの玄関で靴を履いた。剥き出しの一万円札が差し出された。

「いいんですか」

カスミは内海の痩せた顔を見上げた。内海は面倒そうに頷いた。

「いいですよ、好きなもの買ってください。どうせ、遣い切れないんだ。ねえ、ついでにミネラルウォーターとトイレットペーパーも買ってきてくださいよ」

「遣い切れないって言ったって、奥さんがいるでしょう」

「家政婦兼看護人を雇ったと思えば、あいつも納得するんじゃないですかね」

なるほど、とカスミは紙幣を受け取ってジーンズの尻ポケットに入れた。内海がいなくなったら家政婦をして生きていけばいい。早くも内海の死を想定している自分にカスミは驚き、これが縁もゆかりもない他人との距離なのだと納得した。唐突に、緒方のことを思い出した。緒方は、温度も濃度も初めから自分と同じという稀有な人間だった。カスミは緒方に会いたいと思った。

近所のスーパーで魚と野菜を買い、レジ横の公衆電話から和泉の家に電話を入れた。水島のことだから、夜は和泉蔦枝のところに入り浸っているに違いないと思ったからだ。案の定、当人が出た。

「奥さん、お電話お待ちしてたんですよ。もうこちらに着かれましたか」

いつもと違う水島の慌てた様子に、カスミの動悸が早まった。

「ええ、昨日着いたんです。何か」

「実はどうやって連絡しようかと思ってたところです。ご主人に電話したんですが、教えてもらったホテルにも、奥さんいないし」

「何でしょう。何かあったんですか」

カスミは水や食品の入った重い袋を床に置いた。水島は、カスミの期待を裏切るのを怖れるように言った。

「いや、すみません。有香ちゃんの件じゃないんですよ。たいしたことじゃないのかもしれませんがね。今日、石山さんが見えたんですよ」

「石山さんが」

「はい。驚きました。別荘を売りに見えて以来でしょうかね。奥様も懐かしがってね。

ただ、非常に変わられていましてね」

「どういう風に」

「別人みたいでした。ま、責任は感じておられるのでしょうけど、どうかねえ」

水島ははっきり言わなかった。

「どういう風に変わったんですか」

「うまく言えませんですね」

カスミは俄に石山に対して好奇心を掻き立てられた。この歳月は石山をどう変えたのだろう。

「お会いしたいわ。石山さんはもう帰られたのかしら」

「今日のところは湖畔に泊まられるようでしたけどねえ」

水島は言葉を濁す。告げたくないことでもあるのか。カスミは重ねて問うた。

「変な様子だったのでしょうか」

「奥さん、最近は会ってらっしゃらないんでしょう」

「そうなんです」

「いや、こんなこと言っていいのかどうか」水島は暫く躊躇っていた。「石山さん、離婚されたんですかね。というのも、若い女を連れてましてね。びっくりしましたわ」

カスミは反射的に振り返った。スーパーのガラスに映った自分の姿。夜の闇を背景に、黄色い受話器を持って呆然と口を開けている自分の顔はひどく老けて見えた。目の下の隈が目立ち、口角が下がっている。石山が女といる。石山との恋愛はすでに終わったと思っていたのに、水島の報告に打ちのめされていた。

「もしもし奥さん」

水島の呼びかけが聞こえた。

「はい」と慌てて受話器を持ち直す。

「石山さんは湖畔に泊まっておいでのようですから、明日午前中に来れば会えるかもしれませんよ」

「はあ」

「何か追われているようなこともおっしゃってましたんでね。うちの奥様はそういうことお嫌いな方でしょう。多分、うちにはもう寄られないと思いますんで」

すでに和泉家を「うち」と呼び慣わしている水島への違和感もさることながら、カスミは石山が女連れで来ているということに衝撃を受けている。だが、時間が経ったのだ。変わらないで彷徨っているのは自分だけだった。カスミは電話を切って再びガラスに映った自分自身を眺めた。いや、自分も変わっていた。心は同じでも、姿形だけが深い悲しみを張り付かせて時間を刻んでいる。カスミは石山に置いてきぼりにされたような寂しさを抱えて帰路についた。

「ただいま」

ノックをしてドアを開ける。内海は部屋の真ん中に寝転んでいたが、すんませんと起き上がった。どぼどぼと水音が聞こえる。風呂に水を張っている。カスミは上がり框《かまち》に重たいポリ袋を置いた。靴を脱いでいると、内海がやって来て袋を持ち上げた。さっきより気分が良くなったらしい。

「いいですよ、重いですから」

断ったのにも拘らず、内海は無言で袋を台所に運んでいく。カスミは後を追って台所に入り、手早く料理を用意した。味噌汁が作ってあるのに気付き、温めて椀に盛る。小さなテーブルに茶碗や箸を並べ、二人は向き合った。

「何かあったんですかね」

内海が粥をすくうためのスプーンを持ってつぶやく。

「別に。何でですか」

「勘ですね」

「何の」話したくないカスミはとぼけた。

「刑事の」

「今日、石山さんが現れたそうです」

カスミは飯を口に運びながら話した。慣れない炊飯器で水が少なかったのか、飯はやや硬く炊けていた。だが、炊き立ての飯は旨かった。

「森脇さん、どこに電話したんですか」

内海はさりげなく尋ねたが、探る目になったのをカスミは見逃さない。

「水島さんのところに。いえ、和泉さんのお宅のほうです」

「こっから電話すりゃいいのに。電話代なんてどうってことないすよ」

「すみません。これからそうさせていただきます」

内海は苦笑いして粥をすくい、苦行のように口に入れている。ゆっくり咀嚼して嚥下した後、内海はカスミの目をまっすぐ見た。

「石山は何で現れたんですかね」

「さあ、そんなこと知りません」カスミは内海が作った豆腐の味噌汁を飲んだ。妻のメモ通りに作ったのか、薄い味付けだった。「湖畔のほうに泊まっているそうですから、明日行けば会えるかもと水島さんが言ってました」

「石山はどんな様子だったんですかね」

「変わっていた、と水島さんはおっしゃってました」

カスミは、石山が女連れだとは告げなかった。

「じゃ、捕まえましょう」

「事情聴取ですか」と、カスミは笑った。

「そんなことしませんよ。自分はあいつに感想を聞きたいだけです」

「感想？　何のですか」

「あの事件のことに決まってるじゃないですか」

内海は魚の煮付けをほぐしながら顔を上げずに言った。なぜ感想なのだろうとカスミは箸を置いて考えていた。

押入にあった布団は、内海の妻が使っているものらしい。清潔だったが、枕カバーに黒い髪の毛が一本付いていた。カスミはつまんで捨て、その枕カバーに頭を置いた。不思議な気分だった。一昨日まで存在すら知らなかった他人の家に上がり込み、その妻の夜具を使って寝ようとしているのだから。カスミは布団に横たわったまま四年前の今夜のことを思い出している。カスミと石山は翌朝起きる出来事も想像できずに罪を重ねたのだった。

毎年八月十一日になるとカスミが泉郷を訪ねることを石山は知っているのだろうか。知っていながら現れたのだとしたら、自分に会いたいということなのかもしれない。知らないで来たのだとしても、あの場所に女連れでとは無神経だ。カスミは石山に激しい怒りを感じた。石山が女連れだったという情報にこだわっている。嫉妬など起きようもないと思っていた過去のことなのに、自分だけがいまだ迷っている気がして、悲しく腹立たしい。カスミは布団から抜け出て、内海の寝室の襖を静かに開けた。照明は消されていたが、ベッドに横たわった内海がこちらを見た。カスミの寝ている六畳間からの光に照らされ、枯れ木のように骨格だけ目立つ男がカスミを睨んでいる。

「何すか」

「ちょっと話せます？」

「いや、さっき睡眠薬飲んだんで、もうじき意識不明みたいになります」

カスミは何も言わずに内海のベッドに潜り込んだ。内海は嫌な顔をした。

「何です。石山のことを思い出して興奮したんですか」

「そうです」

「石山と出来てたって噂は本当だったんですね」

カスミは答えずに内海の瘦せた肩に鼻先を付けた。着ているTシャツの洗剤の匂いがわずかにするだけで無臭だった。内海は肩をずらせてカスミを避けようとした。カスミはそのままじっとしている。内海に強い力で押し戻されたが、カスミはベッドから出ようとしなかった。

「やめてくださいよ」内海は横を向いた。「自分はできませんよ」

「あんたにそんなこと期待してないわよ」

カスミは嘲笑った。内海はもう一度言った。

「石山と出来てたんですね。それであんたたち一家は支笏湖まで行ったんだ」

「そうよ」カスミはあっけなく秘密を明かした。「でも、誰が噂してたの」

「いや、誰も何も言いませんよ。現場の雰囲気ですね。密かに囁かれたってとこでしょうかね。調書でも誰も言ってない。東京で調べりゃ出てくるって浅沼は思っていたでしょうけどね」

「東京に行ったの？」

「事件になってないんだから行きませんよ」

「私と石山さんのことが有香の失踪と関係あるっていうの？」

「さあ」

「そのことが何か問題があるの」

「わかんないですね。だから、自分はあんたに何が起きたのか知りたいんです」

「私、亭主に要らないから帰って来るな、と言われたのよ」

「当然でしょう」

「あなたが道弘だったら、そう言うかしら」

「言いませんね」

「どうして」

「最初から要らないから」

内海は疲れたらしく目を閉じた。眼窩の窪みが深く、骸骨のように見えた。

「あの人は今、女連れで来てるんだって。あの人に誘われたから北海道まで行ったのに、私の子供だけいなくなった。起きてしまったことは仕方ないことだけど、どうにも諦めきれない。何が諦めきれないのか、私にはよくわからない。有香のことなのか、探している時間のことなのか、あの人と一緒に過ごしたはずの時間なのか、そっくり全部をなくした自分のことなのか。案外、最後なのかもしれない。だって私のほうは何も終わっちゃいないんだもの。それって、限りなく不公平なことでしょう。あなたも自分だけ死ぬのは不公平だと思ったことない？　あるでしょう。だから、私たちは似てるのよ。違う？」

内海は無言だ。カスミが覗くと、内海はいつの間にか眠り込んでいた。カスミは内海の顔を眺め、それから掛け布団を剝いで内海の全身を見た。おそらく頑健な体をしていたのだろうが、今、その名残は太い骨組みのみだった。瘦せた胸が上下に動いて浅い鼾をかきながら呼吸を繰り返している。それさえなければ、わずかに口を開けた内海は、まるで死体だった。死体なら構わないだろう。カスミは内海の肩にまた鼻先をくっつけた。

「緒方先生にも言わなかったことがあるの、あまりにも醜いと思ったから。この際だから正直に言うけど、私は典子さんを疑っていた。あの人が、私と石山さんのことを前から勘付いていて、有香を何とかしようと計画したんじゃないかって思った。だって、私を酷い目に遭わせるには、私の子供をどうにかするのが一番でしょう。だから、典子さんが朝のほんのわずかな時間を狙って、あの子を殺してどっかに隠した、そして自分は知らん顔して寝ていた、そんなこと考えたの。できないことじゃない。というか、人間なんて何するかわからないじゃない。あの人、あんな綺麗な顔して澄ましていたけど、おなかの中では何を考えているかは誰にもわからないんだから。ね、そうでしょう。あなただって刑事だったら、そう思うでしょう。

あるいは、道弘が私と石山さんのことを知って発作的に自分の娘を殺したのかって考えたこともある。私たちを苦しみに陥れるために。だけど、この四年間、道弘はすごく苦しんでいた。だから、そんなこと、できっこないのはわかってるんだけど。いえ、典子さんも道弘も、そんなことはしないと思う。なぜなら、現実主義者で単純な人たちだからだわ。そういう人たちが、自分の人生にリスクを負うようなことは絶対にしっこない。それは私の勘でわかってる」

カスミは、自分自身が納得するように頷いた。内海が唸って寝返りを打った。振りほどかれた重い骨だけの腕がカスミの脇腹に当たったが、カスミは気にせずに喋り続けた。

「今、『あの子を殺して』って言葉を私は使った。そんなこと口に出したくもなかったのに、ほんとは心の奥底ではもう生きていないだろうってわかっているんだと思う。なのに探しに出るっていうことは、自分をまだ誤魔化しているのかもしれないわね。早く解放されたいのにちっともされてないから、あの子のことを自分のために使っているだけなのかもしれない。それなのに、石山さんは一人でどこかに行ってしまった。先を越されたわ。先を越されたっていえば、あなたもそうよね。死んでいくのって怖いけど、私は羨ましいような気もする」

内海は横を向いたまま、長い息を吸ったり吐いたりし始めた。眠りが深くなったらしい。

「ね、どうなの。怖い？」

カスミは内海の脇腹を肘で突いた。こつんと骨に当たったが、内海は身じろぎもせずに呼吸をしている。

「そうやって眠っていて何も感じないならいいけど、嫌な夢を見ていてそこから逃げられないのなら死んだほうがまし。そうじゃないの？」

内海は返事をしない。

「つまり、私は悪夢の中にまだ一人取り残されている気がしてならないの。道弘は脱け出て行った。仕事や、梨紗を育てるという現実的なところに向かって。私と石山さんに対する憎しみを持ったことも、脱け出る一助にはなってる。あの人は辛いでしょうけど、憎むということは現実を噛み締めて生きることでもあるから。違うかしら。それから、梨紗は可愛いけど、私にあまり心を許さないの。変ね、自分の子供なのに。思い当たる節はあるの。子供が一人いなくなったから、残されたほうを倍可愛がるかと言えば、それは違う。私はいなくなった子供ばかり追っていた。梨紗がいなくなったら、もっと早く諦めたかもしれないの。子供の可愛さに差があるのよ、怖ろしいでしょう？　自分でも自分が怖い。あの子は物心ついてからずっと、私がいつも有香を探し回っているのを見ていたから、自分が二の次だということを知っているのね。そのせいか、道弘にだけ懐いている。私と二度と会えなくても、それほど寂しいとは思わないかもしれない。私の悪夢というのは、あの事件以来、自分が自分じゃなくなったということなのでしょうね。どうしても取り戻せないの。取り戻せないうちは、何にも興味がない。何とか生きていこうと思うのも、有香のことがあるから死ねないと思っているだけ。私は死んでいるのかもしれない。そう、あんたより先に死んだ人間なんだと思ってちょうだい」

カスミは内海の腕の肉を抓《つね》った。鼾をかいていた内海は小さな呻き声を上げた。カスミは抓った箇所を優しく撫でる。

「ごめんね、痛かった？　あんた死んでいくの辛いわよね。きっとすごく怖いし、孤独なんだろうね。いい気味とは思わない、それほど知ってる人じゃないもの。さっきも言ったけど、羨ましくもあるのよ。石山さんは私を置いて先に行った、あんたも先に死んで行く。私はたった一人で悪夢の中で一生を終えるのかもしれない。そんなの嫌だわ、絶対に浜口カスミらしくない。それじゃ、あの灰色の海を見つめて暮らすのと同じじゃない。そうでしょう。私は何のために脱出してきたの」

喋り疲れたカスミは、内海の背中に大きく息を吐いた。途端に、内海の寝息が規則正しく健やかになった。

3

アスファルト舗装した山道に黒い紐状のものが落ちていて、内海が車で轢いた。

「蛇だ」

内海のつぶやきが聞こえ、振り向くと轢かれた蛇は意外に白い腹を見せてのたくっていた。赤い後続車が避けようと慌ててハンドルを切るのが見えた。

「黒い蛇なんて見たことがないわ」

縁起が悪い気がして、カスミは顔を顰める。

「そうですか。黒い蛇、見たことないすか」

「ないです」

「よくいますよ。森脇さんも北海道の出身なんでしょう」

内海は捜索に加わっていたし、浅沼に会ってあらかじめ自分の情報を仕入れてきたのだろう。警察でしか喋っていないことを、今は民間人である内海に指摘されるのは、至極不快だった。カスミは返事をしなかった。内海はしつこく念を押す。

「違うんですか」

「そうですけど」

「そんなことを隠してどうするんですか。事実なんでしょうが」

内海は不機嫌に前を向く。内海の運転する車は国道から道道に入り、更に大崎温泉へと向かう細い道へ入ったところだ。山の中でありながら、すぐそばに支笏湖の大いなる水の気配があるのを察知してカスミは緊張している。ここから少し進んで山を右に登れば泉郷別荘地に行き着くのだった。

「別に隠しているんじゃないんです。ただ、思い出したくないから言わないだけです」

「家出人だからですか。田舎だからですか」

内海はせせら笑う。今日の内海は攻撃的で、それだけでもいつもと違う活力を感じさせた。

「それだけじゃないけど、そういうことにしておきます」

「家出ってそんなに後ろめたいことですかね」

カスミは内海の嫌みを聞き流す。喜来村にいた頃の鬱屈や居辛さをここで語ったところでどうせ伝わるまい。カスミを瞬時に理解したのはあの古内だけだった、とカスミは内海の窶れた横顔と弾んだ目を見た。

ていた。カスミは朝方、内海のベッドで目を覚ました。内海は掛け布団を全部奪って、熟睡していた。カスミはパジャマの上に何も掛けず、夜明けの寒さに身を縮めていたのだった。布団を少し貰おうと引っ張ってはみたものの、内海はまるで身を守る殻のようにしっかりと痩せた体に巻き付けている。諦めたカスミは片肘を突いて身を起こし、内海の顔を覗き込んだ。微かに口を開けた緩んだ横顔。その眼窩の窪みや頬骨の下の黒い影に、いずれ来る死の予兆があった。カスミはぶるぶる震え、自分は死んでいく男にいったい何を告げたかったのだろうと考えながらベッドから抜け出たのだった。自分の布団に戻っても、シーツは真夏にも拘らず冷え切っている。その新たな冷たさが自分の体温に馴染むまでは時間がかかるはずだった。眠気はとうに失せてカスミは布団からも出た。内海のベッドも、空にしていた布団も、自分を暖かく迎えはしない。これからずっとそうなのかもしれない。カスミはそのまま一睡もせずに、四回目の八月十一日の朝を迎えたのだった。

「あんたの村にも一度行ってみたいもんですね。行きましょうよ」

「どうして」

「どれだけ変わったか見たくないですか」

「別に」

「だって、あんたの両親がいるんでしょう」

「おそらく」

「気にならないんですか」内海は意外だという顔をした。その目に好奇心が見え隠れする。「死んでるかもしれないのに」

「それならそれで仕方がないでしょう」

「冷たいすねえ」内海は首を捻る。「そこに娘さんがいるかもしれないと思ったことは」

その想像は、実は何度もした。想像の中の有香は、あの浜にある喜来荘の前で遊んでいる。自分がいつもしていたように、子供の手の力でも容易に割れる脆《もろ》い砂岩を拾いながら。強い海風に髪と皮膚を湿らせ、その海風が運んで来る細かい砂を全身に貼り付かせて。

「想像したことはありますよ」

「じゃ、何で確かめないんですかね」

「絶対あり得ないもの。あの人たちがそんなことできる訳ない」

「あんたの両親があんたの代わりに娘さんを連れて行ったのかもしれませんよ。もしそうだとしたら、復讐というよりやり直したいんでしょうね。何をやり直したいんですかね。子育てとか人生とか。ま、やり直せたらいいものってあるんでしょうけどね。自分はそう思わないですけど。生まれ変わっても刑事でいたいですから。その意味じゃ、まあ幸せな一生なのかもしれないですよね」

内海は今朝から口数が多い。カスミは内海が急に雄弁になった理由を、自分が内海の寝床に入って一瞬だけ心を開いたせいだと感じ取っている。思いがけず石山が自分の前に姿を現したからだ。石山によって開けられた自分の過去の扉が、今、内海という男を解放している。

「ねえ、内海さん。そんな馬鹿な想像やめてくれない」

内海は光った目でカスミを見た。

「自分はね、森脇さん。現役の間、想像なんてしたことなかったです。足を棒にして歩き回り、リストを潰していくだけ。昼飯はその辺でかっ込んでね、何食ったかなんて覚えていない。そんな仕事ばっかしてましたよ。想像すればするだけ、現実から遠くなるのわかってたんです。想像は自分の仕事の天敵なんですわ。どうしてかわからないけどね。だから、それだけはしなかった。今はね、どういう訳か、想像するのが面白くて堪らないのですよ」

カスミは内海が事件に淫しているのだと思った。事件は内海に食欲と精気を与え、訳のわからない活力で満たしていた。今朝の内海はよく食べ、よく喋り、感情が息づいている。自分がこれからも睡眠薬で前後不覚に眠っている内海の耳に、本心や疑念を囁き続ければ、内海の想像もどんどん肥え膨らんでいくのだろうか。そんな内海が薄気味悪いと思い、衰えていく内海にそうやって活力を吹き込んでやりたいと考える自分もまた気味が悪かった。道の真ん中でのたくり、苦痛に跳ね回っていた黒い蛇が自分の心の中にもある。カスミの中の悪意や疑心、誰にも言えない本音が内海という男を通して外界に放たれるのだ。

カスミは不意に窓外に目を転じた。さっき蛇をよけた赤い車がまだ後ろに来ている。ここまで一緒だということは、大崎温泉にでも行くのだろう。カスミは身を屈めて左のサイドミラーを覗き込んだ。真っ赤なＢＭＷだ。生い茂った緑の樹木に拮抗できる艶と照りを誇るように、法定速度を守ってとろとろ走る内海に猛々しくぴたりとついて来る。揃いの派手なサングラスを掛けた水商売風の男女が乗っていた。女は金茶色に染めた長い髪を窓からなびかせ、時々手を差し出しては風を受ける仕草をやめない。運転している男は流行遅れのパンチパーマで、女と言葉を交わしていた。その顔をつぶさに眺めたカスミは徐々に顔を強ばらせた。石山に間違いなかった。事業に失敗して借金取りに追われていると聞いていたせいか、昨夜来のカスミの脳裏に描かれる石山は萎れた姿をしていた。だが実物は、山の中で異物と感じられるほど俗な形《なり》をしている。

「あそこ右ですね」

内海が右手に見える「泉郷別荘地」という白い看板を指さした。カスミは看板を凝視する。去年より赤錆が浮き出て、腐食がひどくなった。ますます頽廃《たいはい》の感がある。あの赤い屋根の洒落た山荘で、和泉蔦枝が白い膚に錆を浮かせているような気さえした。カリーナは右折して、急坂のためにシフトダウンした。石山の車はそのまま直進していく。この道の先は大崎温泉しかないから、そこに泊まっているのかもしれない。数十メートル登ったところで、カスミはようやく内海に告げることにした。時間が少し経っていたのは、どうしたものかと思案したからだった。

「今の車に石山さんが乗ってました」

「あのビーエムに？　ヤクザが女連れて温泉にしけこむところかと思いましたよ」

「いえ、あれがそうです」

「石山ってあんな男でしたっけ」

「変わっていたけど、間違いないです」

あれだけ睦んだ男を自分が見間違えるはずはなかった。内海は信じられないと振り返った。すでに丈の高い夏草の茂みと息苦しく絡んだ樹木に囲まれて後ろは見えない。内海のカリーナは、傾斜のきつい坂にへばり付くように中途半端に停まった。

「悪いけど、大崎温泉のほうに戻ってください。私、ちょっと石山さんと話したいから」

「いいすよ」

内海は好奇心に火を灯されたのか、痩せた体をきびきびと動かしてギアをバックに入れた。カリーナは蛇行しながら危なっかしく狭い急坂を降りた。やがてさっきの分岐点で方向を変える。そこから五分ほど狭い山道をくねくね走った。山間《やまあい》に温泉ホテルの赤い屋根と支笏湖が見えて来た。四年前の夏、情報はないかとカブに乗ってカスミが何度も足を運んだホテルだった。

湖の入江を囲む形で平べったい屋根が横に長く広がっている。カスミはいち早く駐車場にある赤いＢＭＷを発見した。女の姿はなく、石山らしき男が車のドアロックを確かめているところだった。カスミはカリーナから一人降り立った。

「石山さん」

石山は振り向き、脇に金の飾りがついた派手なサングラスを取った。カスミを認めて、その顔に奇妙に真面目な表情が浮かび、やがて喜びを含んだ明るいものへと変わった。軽薄な格好をカスミは眺める。多彩な色を使ったサマーニットに白のだぶついたパンツ。太い金のネックチェーンが襟元から覗き、ダイヤ入りの金時計が陽光にきらめく。昔の清潔な石山からは思い描くことのできない服装だった。

「久しぶりだね。元気だった？」

石山は微笑を浮かべ、練れた口調でカスミに尋ねた。石山はもう少し不器用な話し方をした、とカスミはまたも微かな違和感を覚える。

「ええ。あなたも元気そうじゃない」

「まあね。楽しく暮らしているよ」

石山は照れ笑いした。皺んだ風船のようで、カスミを跳ね返すものは何もなかった。

「楽しいならいいじゃない。今は何をしてるの」

石山はちらとホテルのフロント辺りを見遣った。そこに連れの女がいるのだろう。

「何してるって、何もしてないんだ。聞いてないの、俺の仕事のこと？　倒産したんだよ」

「ちょっと聞いたけど詳しくは知らない。何もしてないってデザインもしてないの？　どうやって食べてるの」

「ヒモだな、言うなれば」

「ヒモ？」カスミは問い直した。「あなたがヒモなの」

「そうとしか言いようがないね。女に養われているんだもの」

石山はさばさばした調子で言った。

「さっきの女の人の？」

「そう。もう二十三だけどね」

「もう？　若いじゃない」

うん、と石山は頷く。この派手な服も車も、さっきの女に買ってもらったということなのだろうか。活躍していた頃の石山を知っているカスミは、あまりの変化に内心驚愕している。しかし、自分がエレベーターの中で強引に口づけした時も石山は黙って受け止めたではないか。もともと女に対しては受け身の男だったのかもしれない、とカスミはあの日のことを思い出した。

「あなたも少し変わったね」

石山はカスミの顔を見つめた。

「どういう風に」

「何ていうか、我慢してる顔になった。何だか似合わないね」

「しょうがないわよね、あんなことがあったんだから」カスミは他人事のように言う石山に反感を覚えながら、自分に言い聞かせる。「私、一回壊れちゃったのよ」

「うん。俺もそうさ」石山は俯いて手の中にある車の鍵に視線を落とす。それは仰々しく、ヴィトンのキーケースに入っていた。「しょうがないよな」

「こんなところで会えるなんて思わなかったわ」

「どうして」石山は意外な表情で聞き返した。「だって、あなたは八月十一日だから来たんだろう」

「私はそうだけど」

「俺はあなたに会えるかもしれないと思って来たんだよ」

会いたかったとは石山は言わないし、女連れの非礼を詫びる訳でもない。

「あなたは行方不明だと聞いていたから」

「そうそう、そうなんだ。そういうことにしてるんだよ。だから、ここで会ったことは誰にも言わないで」

カスミは共犯者になった気分で首肯《しゅこう》したが、かつて二人で罪を犯した時とは比べものにならないほど、思いは軽かった。自分の口からうっかり漏れて、石山が追っ手に捕らえられたとしても痛痒《つうよう》を感じないのではないかという気さえする。石山の自分に対する情熱はもう失われた、とカスミははっきり悟った。それが寂しくないということは、カスミもすでに石山を好きではないのだった。夢中だったのに、あっけなく失った感情。あの情熱はいったい何だったのだろうか。そのためにいなくなった有香を思うと、心底情けなくもある。

「ところで、テレビ見たよ。小樽の話はどうだったの」

「駄目よ。男の子だった」

「そうか。どうしたんだろうね、あの子は」

石山は溜息を吐き、ホテルの背後に広がる支笏湖に目を転じた。湖からはひっきりなしに、ボートやジェットスキーのモーター音が近付いたり遠のいたりしていた。二人とも黙り込んでその音を聴いている。カリーナで様子を見守っていた内海が潮時と思ったのだろう、こちらに向かって来た。石山が内海の姿を意識し、ポケットからタバコを出してくわえる。有香がいなくなった時、釣りとタバコをやめると言った石山の言葉を、カスミは思い出している。石山の中で決着がついたのだ、と感じた。内海はぺこんと頭を突き出すように挨拶した。

「どうも、初めまして」

石山は軽く挨拶を返し、目顔でカスミに尋ねた。

「内海さん。元刑事さんで一緒に有香を探してくれるって」

「そりゃよかったね」石山はたいして感慨もない様子で聞いた。「で、どうですか。内海さん」

「いや、今のところなんも」

内海は観察する目で石山を眺めている。

「そうでしょうね。そんな簡単なことじゃないものね」

石山は陽に灼けた腕を掻いた。石山の体からもう川の匂いはしないだろうとカスミは思う。内海が石山のタバコの煙を避けながら聞いた。

「石山さん。自分はあの時、苫小牧署にいましてね。捜索にも加わってました。あんたの姿も遠くから何度か見ました。随分、趣味が変わりましたね」

「いや、これは」石山は苦笑する。「あの子がこういうのが好きだからって買ってくるんで」

内海は石山がヒモのような暮らしをしていることに気付いたのか、皮肉な顔をした。

さっきの女がハイヒールの踵を地面に捩じ込むようにして走り寄り、息を切らして叫んだ。

「洋ちゃん、どうかしたの」

「どうもしないよ」

女は不審を露わにしてカスミと内海を睨んだ。

「何か用ですか」

「何でもないったら」

石山が宥めたにも拘らず、女は石山を守るようにカスミの前に立った。下膨れの平凡な顔立ちだが、若い精神の尖りが強い目や唇の端に現れていた。自分たちを石山を追っている借金取りと間違えたのだろう。カスミは若い女の情熱が羨ましいと思った。

「いいんだ、ほんとに。この人たちは有香ちゃんを探しているんだよ。ほら、有香ちゃんのお母さんだ。これは真菜。俺と一緒に暮らしてる」

石山の紹介に、真菜は激しい憤怒をさっと過《よぎ》らせた目でカスミに視線を当てた。石山がかつて愛した女だと知って嫉妬が現れたのだろうとカスミは察した。カスミには石山がこんな若い女にあの出来事を話したのかという裏切られた思いがある。あれほど誰にも告げるなと自ら禁じたではないか。カスミは石山との距離をますます感じる。

「真菜ちゃん、この人と二人で話したいんだ」

石山が言うと、真菜は素直に頷いた。

「わかった。あたしはお風呂に入っているからさ」

「うん、すぐ行くよ」

甘いこと吐《ぬ》かしやがって、と内海が横でつぶやいたのが聞こえる。内海は気に食わない様子で両手をジャケットのポケットに突っ込み、痩せた肩骨を浮き上がらせたまま仏頂面をした。

「石山さん。あんた追われてるんだってね」

「まあね」

石山はそんな現実も忘れたのか、のんびりと返答した。

「見付かったら、たぶん酷い目に遭いますよ」

「おそらくね」

「それでヒモになったんですか。なかなか目の付け所がいいじゃない」

「いや、別に。そういうつもりじゃないよ。金がなくなって飲み屋で働いている時に、あの子が飲みに来て知り合ったんだ」

石山は腹を立てる風でもなく、剣呑な内海に穏やかに応じた。

「どこの飲み屋ですかね」

「豊川さんの飲み屋の下働きをさせてもらったことがあるんだ。どこにも行き場がなくてね」

躊躇いがちに石山が言った。豊川に迷惑がかかることを怖れているのだろう。しかし、豊川を頼って札幌に来た石山を、カスミは快く赦せない。

「『ほっけ屋』チェーンですか。あんな安い店に真菜さんみたいな女、行きますかねえ。ホストクラブとかじゃないですか」

石山は曖昧に笑って答えなかった。

「金回りが良さそうだ。何してるんですか、彼女」

「風俗に決まってるじゃないですか」

「なるほどね」内海は侮蔑と好奇の入り交じった目で石山の頭を見た。「似合いますよ、パンチ」

石山は照れ臭そうにウエーブのきつくかかった頭を何度も撫でた。自分の頭髪に触ってみるまで実感がない様子だった。

「自分でも意外だよ。内海さん。この人と話したいんだが外してくれますか」

「構いませんよ。自分は水島のオヤジにちょっと話を聞いてきますから」

「水島さんも知ってるんですか」

石山は意外だという顔をした。

「知ってます。和泉の爺さんも知ってました。あの爺さんは一時手広く商売してましてね。この辺りじゃ有名でしたから」

「そうですか。そう言えば、和泉さんはどうして死んだんだろう。ねえ」石山は同意を求めるようにカスミのほうを見る。「あの人、あなたのことを俺の妻だと間違ったことがあったね」

「ええ。あの時はびっくりした」

別荘に来たその日に、庭先から顔を出した和泉がカスミに「奥さん」と話しかけたことがあった。犬の死体。あれはどうなったのだろうか。カスミがそんなことを思い出していると、内海が口を挟んだ。

「それ、何ですかね」

石山は話していいものかどうか、カスミの顔を見た。

「いいの、この人は何でも知ってるの」

「そうなのか」石山はカスミと内海の仲を、自分と真菜と同様だと勝手に解釈したらしい。

「あの別荘に着いた日に、皆でビールを飲んでいたら、和泉さんと水島さんが来てね。僕の女房が隣にいるのに、この人のことを『奥さん』と呼んだんだ。何か知ってて嫌みを言われているのかと焦ったよ」

「へえ、何ででしょうね」

「さあ、今じゃ単に間違えたんだろうと思っているけどね」

「あれから典子さんの態度が一変したわね」

「そうそう、そうだった。あれでばれたんだ」

石山はさばけた調子で言った。不思議な気分だった。二人の間の秘密が、今こうして内海という第三者の前で語られている。

「内海さん、気にしないで下さい。もう終わったことだから」

石山が気を遣う。内海が真面目な顔で否定した。

「違います。森脇さんとは昨日会ったばかりです。自分がもうじき死ぬんだと言ったもんで、じゃ話してもいいだろうとこの人が安心したんですよ」

「安心なんかじゃないわ」

内海に話したのは、現実と折り合えない境遇が似ているという結び付く気持ちが底にあったからだ。昔、その思いを石山と分け合ったのに、石山が女連れだったと聞いて心が騒いだからだ。カスミは不思議な思いで石山の気楽な顔を眺めた。

「死ぬんですか」石山は驚いて内海を見ている。

「ガンでもうじき駄目なんです」

「それは気の毒ですねえ。驚いたな、いろいろな人がいるものだ」

石山は厳粛な面持ちになった。内海は慣れた様子でさり気なく言った。

「じゃ、自分は水島のところに行って話を聞いてきますけど、森脇さんどうしますかね」

「一時間程で迎えに来てくれませんか」

「はい」と内海は行きかけてまた戻って来た。「聞き忘れた、石山さん」

「何ですか」

「あの事件に関するあんたの感想、聞かせてくださいよ」

「感想？　そらまた第三者的だなあ」石山は考え込むように両腕を組んだ。「考えておくから、また聞いてくれませんか」

内海は頷き、車に向かって歩いて行った。その後ろ姿を眺めながら、石山が言った。

「本当に死ぬんだね。何だかわかるような気がする」

「胃ガンだって。助からないんだって」

「何であの人がこの事件を調べようとしてるのか、わかるような気がする」

「何で」

「答えが出ないからじゃないの。例えば、自殺した人の気持ちを考えたところで絶対にわからないでしょう。遺書があったって真実はわからない。でも、警察ってそれで一件落着にする訳だよ。これまで明確な答えばっかり出そうとしてきた人が皆目わからない事件に遭うと衝撃を受けるんだと思うけどね」

石山はホテルに向かって先に歩きだした。フロントを抜けて芝生の庭に出ると、支笏湖が眼前に広がっている。夏の午後の陽射しを受けて、眠気を誘うような穏やかさに満ちていた。カスミの見たことのない支笏湖だった。恵庭岳に白い雲が一刷毛《はけ》かかり、細かいさざ波の立った水面には沢山のボートが浮かんでいる。

「典子さんと別れたんですってね」

カスミの言葉に、石山が振り向いた。振り向きざまに、まず相手の唇に目を遣ってから目を上げる仕草は変わってなかった。かつて石山のこの挙措に出会う度、カスミはこの上もない優しい仕草に思われて胸をざわめかせたのだった。

「そうだよ。もう一年になるかな。典子とはあれ以来、うまくいかなかった。俺を赦してくれたことは一度もないと思う。気まずくなって修復できないまま別れた。子供のこと、聞いてる？」

カスミは首を横に振る。

「俺も知らないんだ。どうしているかなあと考える反面、解放されて喜んでいる部分もある。自分にそんなところがあるなんて知らなかったから、人間わからないものだと思う。森脇さんは元気なのかな」

「元気にしてる。仕事はあまりうまくいってないけど。でも、私も森脇のところから出たの」

「有香ちゃんのことじゃないね。俺とのことがばれたのかい」

「両方あるから赦せないのよ」

「同じだね」石山は溜息を吐いた。「森脇さんショックだったろうね。あなたが見習いでモリワキ製版にいた頃のこと、今でも時々夢に見ることがある。目が覚めて思うんだ。想像もつかないような人生だってね」

「そうね」

「でも、誰にもわからないんだよな」

芝生の庭に腰を下ろして石山はタバコに火をつけた。カスミは様々な音の中から、ひたひたと寄せる波の音だけを聞き分け、自分に何を告げようとしているのかを考えている。水の気配。それが自分の怖れであり、出発点だった。

「内海さんのこと、好きなの？」

石山の問いにカスミは笑いで答える。

「好きじゃないわよ。お金がないから、あの人を利用させてもらっているのかもしれない。だけど、どこにも居場所がない私の気持ちがあの人とどこか通じているような気がする。あの人、じきに死んでいく訳でしょう。看取ってあげようかと思ってる」

「看取る？　縁もないのに、そらまた親切だね」

「親切でしてるんじゃないの。死んでいく人が何を見るのか知りたいからなの。私って残酷なのよ」

石山が自分の横顔を見つめているのがわかった。

「どうして知りたい」

「あの人はきっと、若くして死んでいくことに耐えられないのよ。承知している顔しているけど、心の中では不公平だと思っているし、怖がっている。だから、テレビを見て私に連絡してきたの。最初は捜査とか言ってたけど、違うんだと思った。あの人は私が現実と折り合えずに戸惑っている様を見たかったのよ。だから、私もあの人が死ぬところを見るの」

「競争しているみたいだ」

石山の言い方には同情が滲んでいた。

「でも、ゴールは見えてる。だって、あの人は可哀相だけどじきに死んでいくんだもの。私だけが永久に……」

カスミが言い淀むと、石山が静かに続けた。

「漂流してるんだ」

石山から漂流という言葉が出るとは思わなかった。カスミは芝草の間から白い石を探し出しては数メートル先の湖に投げた。それはあまりにも小さく、水音さえしなかった。

「そう、まだ陸地が見えないのよ」

てしまった。

石山の低いつぶやきが聞こえてきた。石山は新しい土地に上陸し、そこで生活を始め

「可哀相に」

「同情してるの？」

「しちゃいけないかい」石山が穏やかな声で言う。「いいじゃないか。あなたのことは本当に気の毒だと思っている。早く元のあなたになってほしい」

「元の私になることはないわ。違う私になるの」

「いいね」と、石山は笑った。

「あなたは真菜さんのこと好きなの」

「好きだと思う」石山は首を傾げた。「だけど、恋愛じゃないな。あなたとは恋愛したけど、真菜は違う。二十歳も違う女と恋愛なんかできないよ。あの子から奪うものなんかありゃしない。また、あの子が奪うものなんかも俺には全くないよ。なくしたんじゃなくて、用意する必要がないんだ」

「私の時にはあった？」

「あったさ。あなたの時間を奪ったし、あなたの愛情のほとんどを家族から奪ったし、あなたの体をあなたから奪った。最後は自由さえ欲しがった」

「私もそうだった」

「そうでしょう。俺もいろんなものを差し出した。なのに、結果はあなたの娘が一人いなくなってしまった」

カスミは陽光にきらめく湖の彼方を眺めた。

「どこに行ったのかしら。ここに沈んでいるのかしら」

以前の石山なら、そんな想像はやめろと言ったに違いない。だが、石山は黙ったままだった。

「あなたは真菜さんとどうして一緒にいるの。逃げるのに必要だから」

「あなたみたいにかい。あなたはいつでもどこでも逃げていってしまうんだから」

石山は芝草にタバコを押し付けて火を消した。

「俺にとって、彼女は逃げるのに便利な存在ではあるけど、それがすべてじゃないな。こういう人間関係って持ったことがないから、楽しいんだ。生活費から小遣いから全部女に貰う。家事もしなくていい。ただ、黙ってあいつと一緒に暮らすだけなんだ。車を運転する程度の仕事しかしない。いい生活だよ。真菜が俺に飽きた時は捨てられるだろうけど、それはそれでもいいって気がする。あなたと恋愛していた時は強引に周囲を捩じ伏せてもあなたと一緒にいたかった。でも、今は違う。真菜次第でどうにでも変わっていける自分がいるんだ。俺はもしかしたら、本当は水みたいな男だったのかもしれない」

「水みたいな男？」

「そう。どうにでも変わるんだ。ある時は熱湯になったり、冷や水に変わったり」

カスミは戸惑いを覚えながら石山のパンツの裾にまとわり付いた芝草を見た。

「そうだ、これ内海さんに伝えてくれないか。あの事件の俺の感想」

「いいわよ。でも、自分で言ったら」

「いいよ、あの人は苦手だ。だから言ってくれよ。俺はね、こう思ったんだ。あなたのことを知っているようで知らなかったんだ、と。二年付き合ってあなたを好きで、あなたのことなら何でも知っているような気になっていた。だけど、あなたが故郷を捨てたことや東京に出てきた時の痛みに全く気付かなかった。あなたが支笏湖と聞いて、俺と行くのに二の足を踏んだ時、あなたの痛みを想像できなかった自分が悪いということだ。つまりさ、俺があなたに申し訳ないと思うのは、あなたを十分に理解してなかったという一点においてだけなんだよ。事件そのものは関係ないんだよ」

遠くから「洋ちゃーん」と呼びかける声がした。振り向いた石山が苦笑した。

「しょうがないなあ」

カスミが上体を捻って声のした方角を見ると、湖に面した露天風呂の柵から裸の真菜が身を乗り出して手を振っているのだった。

「全部見えるよ」

石山は恥ずかしそうに目を伏せたが、カスミは反対に目を凝らして若い真菜の肉体を眺め続けた。今夜また、睡眠薬を飲んだ内海の耳に、石山と過ごした夜のすべてを話してやろうと決心していた。有香のいなくなる前の晩に、石山のためなら子供を捨ててもいいと思ったことも。

（上巻了）

文春文庫

柔《やわ》らかな頬《ほほ》 上

定価はカバーに
表示してあります

2004年12月10日 第1刷
2022年6月30日 第19刷

著 者 桐《きり》野《の》夏《なつ》生《お》
発行者 花田朋子
発行所 株式会社 文藝春秋

東京都千代田区紀尾井町 3-23 〒102-8008
TEL 03・3265・1211(代)
文藝春秋ホームページ http://www.bunshun.co.jp

落丁、乱丁本は、お手数ですが小社製作部宛お送り下さい。送料小社負担でお取替致します。

印刷・凸版印刷 製本・加藤製本
Printed in Japan
ISBN978-4-16-760206-2

（　）内は解説者。品切の節はご容赦下さい。

桐野夏生
錆《さ》びる心
劇作家にファンレターを送り続ける生物教師。十年間堪え忍んだ夫との生活を捨て家政婦になった主婦。出口を塞がれた感情はいつしか狂気と幻へ。魂の孤独を抉《えぐ》る小説集。（中条省平）
き-19-3

桐野夏生
柔らかな頬（上下）
旅先で五歳の娘が突然失踪。家族を裏切っていたカスミは、必死に娘を探し続ける。四年後、死期の迫った元刑事が、事件の再調査を……。話題騒然の直木賞受賞作にして代表作。（福田和也）
き-19-6

桐野夏生
グロテスク（上下）
あたしは仕事ができるだけじゃない。光り輝く夜のあたしを見てくれ――。名門女子高から一流企業に就職し、娼婦になった女の魂の彷徨。泉鏡花文学賞受賞の傑作長篇。（斎藤美奈子）
き-19-9

桐野夏生
水の眠り 灰の夢
オリンピック前夜の熱を孕んだ昭和三十八年東京。連続爆弾魔を追う記者・村野に女子高生殺しの嫌疑が。村野が辿り着いたおぞましい真実とは。孤独なトップ屋の魂の遍歴。（武田砂鉄）
き-19-18

桐野夏生
だから荒野
四十六歳の誕生日、身勝手な夫と息子たちを残し、家出した主婦・朋美。夫の愛車で気の向くまま高速をひた走る――。家族という荒野を生きる孤独と希望を描いた話題作。（速水健朗）
き-19-19

桐野夏生
奴隷小説
武装集団によって島に拉致された女子高生たち。夢の奴隷となったアイドル志望の少女。死と紙一重の収容所の少年……何かに囚われた状況を容赦なく描いた七つの物語。（白井　聡）
き-19-20

桐野夏生
夜の谷を行く
連合赤軍事件の山岳ベースで行われた仲間内でのリンチから脱走した西田啓子。服役後、人目を忍んで暮らしていたが、ある日突然、忘れていた過去が立ちはだかる。（大谷恭子）
き-19-21

（　）内は解説者。品切の節はご容赦下さい。

赤川次郎
赤川次郎クラシックス
幽霊列車
山間の温泉町へ向う列車から八人の乗客が蒸発。中年警部・宇野は推理マニアの女子大生・永井夕子と謎を追う――。オール讀物推理小説新人賞受賞作を含む記念碑的作品集。（山前　譲）
あ-1-39

赤川次郎
幽霊記念日
英文学教授の息子の自殺の原因とされた女子大生が、その偲ぶ会の会場となった学園で刺された。学部長選挙がらみの事件で学園中が大混乱に陥った。好評「幽霊」シリーズ第七冊目。
あ-1-16

赤川次郎
幽霊散歩道《プロムナード》
オニ警部宇野と女子大生の夕子がTVのエキストラに出演中、殺人事件と首吊り事件が発生。無理心中か、はたまた真犯人はいるのか？　騒然とするスタジオで名コンビの推理が冴える。
あ-1-17

赤川次郎
幽霊協奏曲
美貌のピアニストと、ヴァイオリニストの男。因縁の二人が舞台で再会し、さらに指揮者が乱入？　ステージの行方は……。「後ろ姿の夜桜」「夕やけ小やけ」など全七編を収録。
あ-1-46

赤川次郎
マリオネットの罠
私はガラスの人形と呼ばれていた――。森の館に幽閉された美少女、都会の空白に起こる連続殺人。複雑に絡み合った人間の欲望を鮮やかに描いた、赤川次郎の処女長篇。（権田萬治）
あ-1-27

阿刀田　高
ローマへ行こう
忘れえぬ記憶の中で、男は、そして女も、生きたい時がある。あれは夢だったのだろうか。夢と現実を行き交うような日常の不可解を描く、大切な人々に思いを馳せる珠玉の十話。（内藤麻里子）
あ-2-27

我孫子武丸
裁く眼
法廷画家が描いた美しい被告人女性と裁判の絵がテレビ放送された直後、彼は何者かに襲われた。絵に描かれた何が危険を呼び込んだのか？　展開の読めない法廷サスペンス。（北尾トロ）
あ-46-4

（　）内は解説者。品切の節はご容赦下さい。

有栖川有栖
火村英生に捧げる犯罪
臨床犯罪学者・火村英生のもとに送られてきた犯罪予告めいたファックス。術策の小さな綻びから犯罪が露呈する表題作他、哀切でエレガントな珠玉の作品が並ぶ人気シリーズ。（柄刀　一）
あ-59-1

有栖川有栖
菩提樹荘の殺人
少年犯罪、お笑い芸人の野望、学生時代の火村英生の名推理、アンチエイジングのカリスマの怪事件とアリスの悲恋。「若さ」をモチーフにした人気シリーズ作品集。（円堂都司昭）
あ-59-2

青柳碧人
国語、数学、理科、誘拐
進学塾で起きた小6少女の誘拐事件。身代金5000円、すべて1円玉で?!　5人の講師と生徒たちが事件に挑む。「読むと勉強が好きになる」心優しい塾ミステリ！（太田あや）
あ-67-2

青柳碧人
国語、数学、理科、漂流
中学三年生の夏合宿で島にやってきたJSS進学塾の面々。勉強漬けの三泊四日のはずが、不穏な雰囲気が流れ始め、ついには行方不明者が！　大好評塾ミステリー第二弾。
あ-67-4

天祢　涼
希望が死んだ夜に
14歳の少女が同級生殺害容疑で緊急逮捕された。少女は犯行を認めたが動機を全く語らない。彼女は何を隠しているのか？捜査を進めると意外な真実が明らかになり……。（細谷正充）
あ-78-1

秋吉理香子
サイレンス
深雪は婚約者の俊亜貴と故郷の島を訪れるが、彼には秘密があった。結婚をして普通の幸せを手に入れたい深雪の運命が狂い始める。一気読み必至のサスペンス小説。（澤村伊智）
あ-80-1

明日乃
お局美智　経理女子の特命調査
地方の建設会社の経理課に勤める美智。普段は平凡なOLだが、会社を不祥事から守るため、会長から社員の会話を盗聴する特命を負っていた――。新感覚〝お仕事小説〟の誕生です！
あ-83-1

（　）内は解説者。品切の節はご容赦下さい。

池井戸　潤
株価暴落
連続爆破事件に襲われた巨大スーパーの緊急追加支援要請を巡って白水銀行審査部の板東は企画部の二戸と対立する。日本経済の闇と向き合うバンカー達を描く傑作金融ミステリー。
い-64-1

乾《いぬい》　くるみ
イニシエーション・ラブ
甘美で、ときにほろ苦い青春のひとときを瑞々しい筆致で描いた青春小説——と思いきや、最後の二行で全く違った物語に！「必ず二回読みたくなる」と絶賛の傑作ミステリ。（大矢博子）
い-66-1

乾　くるみ
セカンド・ラブ
一九八三年元旦、春香と出会った。僕たちは幸せだった。春香とそっくりな美奈子が現れるまでは。『イニシエーション・ラブ』の衝撃、ふたたび。究極の恋愛ミステリ第二弾。（円堂都司昭）
い-66-5

乾　くるみ
リピート
今の記憶を持ったまま昔の自分に戻る「リピート」。人生のやり直しに臨んだ十人の男女が次々に不審な死を遂げて……。『イニシエーション・ラブ』の著者が放つ傑作ミステリ。（大森　望）
い-66-2

石持浅海
殺し屋、やってます。
《650万円でその殺しを承ります》——コンサルティング会社を経営する富澤允。しかし彼には、殺し屋という裏の顔があった…。殺し屋が日常の謎を推理する異色の短編集。（細谷正充）
い-89-2

伊東　潤
横浜１９６３
戦後の復興をかけた五輪開催を翌年に控え、変貌していく横浜で起きた女性連続殺人事件。日米ハーフの刑事と日系三世の米軍ＳＰが事件の真相に迫る社会派ミステリ。（誉田龍一）
い-100-3

内田康夫
汚れちまった道（上下）
「ポロリ、ポロリと死んでゆく」——謎の言葉を遺し、萩で行方不明になった新聞記者。中原中也の詩、だんだん見えてくる大きな闇と格闘しながら浅見は山口を駆け巡る！（山前　譲）
う-14-22

（　）内は解説者。品切の節はご容赦下さい。

内田康夫
氷雪の殺人
利尻富士で、不審死したひとりのエリート社員。あの日、利尻島にわたったのは誰だったのか。警察庁エリートの兄とともに謎を追う浅見光彦が巨大組織の正義と対峙する！　（自作解説）
う-14-24

内田康夫
贄門島《にえもんじま》（上下）
二十一年前の父の遭難事件の謎を追う浅見光彦は、房総に浮かぶ美しい島を訪れる。連続失踪事件、贄送り伝説——因習に縛られた島の秘密に迫る浅見は生きて帰れるのか？　（自作解説）
う-14-25

歌野晶午
葉桜の季節に君を想うということ
元私立探偵・成瀬将虎は、同じフィットネスクラブに通う愛子から霊感商法の調査を依頼された。その意外な顚末とは？　あらゆる賞を総なめにした現代ミステリーの最高傑作。
う-20-1

歌野晶午
春から夏、やがて冬
スーパーの保安責任者・平田は万引き犯の末永ますみを捕まえた。偶然の出会いは神の導きか、悪魔の罠か？　動き始めた運命の歯車が二人を究極の結末へと導いていく。　（榎本正樹）
う-20-2

歌野晶午
ずっとあなたが好きでした
バイト先の女子高生との淡い恋、美少女の転校生へのときめき、人生の夕暮れ時の穏やかな想い……。サプライズ・ミステリーの名手が綴る恋愛小説集は、一筋縄でいくはずがない!?　（大矢博子）
う-20-3

冲方　丁
十二人の死にたい子どもたち
安楽死をするために集まった十二人の少年少女。全員一致で決を採り実行に移されるはずのところへ、謎の十三人目の死体が!?　彼らは推理と議論を重ねて実行を目指すが。　（吉田伸子）
う-36-1

江戸川乱歩・湊　かなえ　編
江戸川乱歩傑作選　鏡
湊かなえ編の傑作選は、謎めくパズラー「湖畔亭事件」、ドンデン返し冴える「赤い部屋」他、挑戦的なミステリ作家・乱歩に焦点を当てる。　（解題／新保博久・解説／湊　かなえ）
え-15-2

（　）内は解説者。品切の節はご容赦下さい。

江戸川乱歩・辻村深月 編
江戸川乱歩傑作選　蟲
没後50年を記念する傑作選。辻村深月が厳選した妖しく恐ろしい名作。恋に破れた男の妄執を描く「蟲」。四肢を失った軍人と妻の関係を描く「芋虫」他全9編。（解題／新保博久・解説／辻村深月）
え-15-3

折原 一《いち》
異人たちの館
樹海で失踪した息子の伝記の執筆を母親から依頼された売れない作家・島崎の周辺で次々に変事が。五つの文体で書き分けられた目くるめく謎のモザイク。著者畢生の傑作！（小池啓介）
お-26-17

折原 一
侵入者　自称小説家
聖夜に惨殺された一家四人。迷宮入りが囁かれる中、遺族から調査を依頼された自称小説家は、遺族をキャストに再現劇を行い、犯人をあぶり出そうと企てる。異様な計画の結末は!?（吉田大助）
お-26-18

折原 一
死仮面
仕事も名前も隠したまま突然死した夫。彼が残した「小説」には、謎の連続少年失踪事件が綴られていた。DV癖のある前夫に追われながら、真実を探す旅に出たが……。（末國善己）
お-26-19

大沢在昌
闇先案内人（上下）
「逃がし屋」葛原に下った指令は、「日本に潜入した隣国の重要人物を生きて故国へ帰せ」。工作員、公安が入り乱れ、陰謀と裏切りが渦巻く中、壮絶な死闘が始まった。（吉田伸子）
お-32-3

恩田 陸
まひるの月を追いかけて
異母兄の恋人から兄の失踪を告げられた私は、彼女と共に兄を捜す旅に出る。次々と明らかになる事実は、真実なのか——。恩田ワールド全開のミステリー・ロードノベル。（佐野史郎）
お-42-1

恩田 陸
夏の名残りの薔薇
沢渡三姉妹が山奥のホテルで毎秋、開催する豪華なパーティ。不穏な雰囲気の中、関係者の変死事件が起きる。犯人は誰なのか、そもそもこの事件は真実なのか幻なのか——。（杉江松恋）
お-42-2

（　）内は解説者。品切の節はご容赦下さい。

恩田　陸
木洩れ日に泳ぐ魚
アパートの一室で語り合う男女。過去を懐かしむ二人の言葉に、意外な真実が混じり始める。初夏の風、大きな柱時計、あの男の背中。心理戦が冴える舞台型ミステリー。（鴻上尚史）
お-42-3

恩田　陸
夜の底は柔らかな幻（上下）
国家権力の及ばぬ〈途鎖国〉。特殊能力を持つ在色者たちがこの地の山深く集う時、創造と破壊、歓喜と惨劇の幕が切って落とされる！　恩田ワールド全開のスペクタクル巨編。（大森　望）
お-42-4

恩田　陸
終りなき夜に生れつく
ダークファンタジー大作『夜の底は柔らかな幻』のアナザーストーリーズ。特殊能力を持つ「在色者」たちの凄絶な過去が語られる。至高のアクションホラー。（白井弓子）
お-42-6

大山誠一郎
密室蒐集家
消え失せた射殺犯、密室から落ちてきた死体、警察監視下で起きた二重殺人。密室の謎を解く名探偵・密室蒐集家。これぞ究極の密室ミステリ。本格ミステリ大賞受賞作。（千街晶之）
お-68-1

大山誠一郎
赤い博物館
警視庁付属犯罪資料館の美人館長・緋色冴子が部下の寺田聡と共に、過去の事件の遺留品や資料を元に難事件に挑む。超ハイレベルで予測不能なトリック駆使のミステリー！（飯城勇三）
お-68-2

太田紫織
あしたはれたら死のう
自殺未遂の結果、数年分の記憶と感情の一部を失った遠子。その時に亡くなった同級生の少年・志信と自分はなぜ死を選んだのか——遠子はＳＮＳの日記を唯一の手がかりに謎に迫るが。

お-69-1

太田紫織
銀河の森、オーロラの合唱
地球へとやってきた、慈愛あふれる宇宙人モーンガータ（見た目はほぼ地球人）。オーロラが名物の北海道陸別町で宇宙人と暮らす日本の子どもたちが出会うちょっとだけ不思議な日常の謎。

お-69-2